しぐさでわかる「イヌの気持ち」

わんこ友の会

PHP文庫

○本表紙図柄＝ロゼッタ・ストーン（大英博物館蔵）
○本表紙デザイン＋紋章＝上田晃郷

はじめに

イヌを飼う人が驚くほど増えています。そして、いったん飼うと可愛くて、まるで自分の子どもや恋人のように思う人もいます。それなのに、実はイヌの気持ちがわかっていない人も多いようです。

たとえば、散歩中などに他のイヌと出会ったりすると、ワンワンと吠えたり、向かっていこうとするイヌがいます。大型犬の場合には飼い主の力では抑えきれず、ケンカになってしまう場合もあります。「いつもはおとなしいのに、どうしたんだろう」と不思議に思ったこともあるでしょう。

それはイヌの習性が理由です。イヌは主従関係を大切にする動物なので、どちらの地位が高いかを比べたがるのです。また、飼い主を知らないイヌから守ろうという気持ちがあったのかもしれません。

また、とてもなついているイヌでも、エサを食べているときに手を出すと、うなったり噛みつこうとするケースがあります。食事をしているときはとても無防備なので、イヌは神経質になっています。そんなとき体に触れられると、それが飼い主だとしても、条件反射で攻撃してしまうわけです。

このように、飼い主がイヌの気持ちをわかっていない場合が少なくありません。すると、言葉を持たない彼らとしては、ストレスがたまり、行動で伝えようとします。それが人間の目には問題行動に見えてしまうわけです。

飼い主がイヌの気持ちを理解し正しく対応すれば、イヌは納得してくれます。

そこで欠かせないのが、彼らの行動、しぐさなどに隠された「意味」を正しく知ることです。

この本を読んでいただければ、イヌに対する接し方のどこが間違っているのか、これからどのように接すればいいのか、よくわかるはずです。

あなたとイヌの心の交流を深めるために、この本を大いに役立ててください。

わんこ友の会

しぐさでわかる「イヌの気持ち」◎目次

はじめに

第1章 イヌのしぐさと体は不思議がいっぱい

第2章　行動やしぐさに隠されたイヌの気持ち

第3章 イヌの気持ちがわかれば、しつけにも役立つ！

第4章　知っておくと便利なイヌの雑学

制作協力　幸運社・高木和子
本文イラスト　あべゆきえ

第1章

イヌのしぐさと体は不思議がいっぱい

飼い主の顔を舐めるのは、食べ物をおねだりしている？

飼い主の姿を見つけるなり、駆けつけてきて顔をペロペロ舐めるイヌの姿をよく見かけます。ときには、飼い主の友人や知人の顔もペロペロ。愛情たっぷりに表現してくれるのはうれしいのですが、口の周りを舐めまわされるのは、あまり気持ちのいいものではありません。顔が唾液でベトベトになってしまいます。女性なら、お化粧くずれも気になることでしょう。

イヌが飼い主の顔を舐めるのは、**ずっと昔、オオカミだった頃から受け継がれてきた本能**だといわれています。オオカミの子どもは、**母親の口のまわりを舐めることで、食べ物をおねだり**していました。母オオカミは、子どもに口のまわりを舐められると、一度食べたものを吐き戻して子どもに与えます。この習性が今も残っていて、飼い主の口のまわりを舐めてしまうというのです。

飼いイヌの場合は、顔を舐めてもエサがもらえるわけではありません。しかし飼い主のほうも、キスされたと思って「よしよし、いい子だね」などと甘やかすことが多いようです。

ご主人様の顔を舐めると喜んでもらえるとイヌが解釈すると、顔を見るたびに舐めるクセが付いてしまうので気をつけましょう。

ですから顔を舐めたらすぐにやめさせます。といっても、舐めるのはイヌの愛情表現なので「こらっ！」「ダメ！」などと強い口調で叱ったり、「やめなさい！」と追い払ったりするのは、ちょっとかわいそうです。

せっかく愛情を示したのにご主人様に受け入れてもらえず、イヌの方はがっかりしてしまいます。もっと優しくしてほしいと思って、さらにしつこく舐めるかもしれません。**いきなり叱るのではなく、まずは「おすわり」とか「待て」と命令**して、イヌが落ち着くのを待ちましょう。

こうすることで、舐めてもご主人様は喜ぶわけではないと理解させます。さらに落ち着いた頃合いを見計らって、頭や背中をなでてあげれば、イヌは安心するでしょう。

また飼い主のほかに、自分よりも強いイヌに出会ったときや、母イヌに怒られたときなどに口元を舐めることがあります。これは、相手の気持ちをなだめるとか、服従する気持ちを示しています。

自分の体を舐め続ける時は、要注意

飼い主の顔ではなく、自分の体をペロペロ舐めることがあります。「グルーミング」という毛や皮膚を整えて掃除する行為で、ネコにもよく見られます。一般に「毛繕《けづくろ》い」などといわれますが、ネコは体を舐めることでリラックスする習性が、最近の研究でわかってきました。

しかしイヌの場合は、**いつまでも体を舐め続けていたら注意が必要**です。同じ箇所や前足を舐めているのは、ストレスや不安を感じているときや、トゲやかゆみ、傷などの違和感のあるときに多く見られる行動だからです。

不安を感じたとき、たまたま自分の足を舐めてみたら気持ちが落ち着いた、

というようなことが積み重なって、クセになってしまうようです。繰り返しているうちに、いつも舐めていないと不安になるケースもあります。これは「脅迫神経症」の一種ですから気をつけなければなりません。

イヌの舌はザラザラしているので、同じ箇所を舐め続けていると毛が抜けてさらに皮膚も傷ついてしまいます。足の先端を舐め続け、皮膚がただれて慢性的な炎症を起こすこともよくあります。ときには「肉芽腫《にくがしゅ》」という皮膚組織の固まりができることも……。

ただし、ペロペロ自分の体を舐め続けているときに、飼い主が「やめなさい！」と言ってもイヌは何のことかわからず、かえってストレスを感じてしまうかもしれません。

いきなり叱るよりも、なぜストレスを感じているのか、何を不安に思っているのか、その原因を探してみるほうが先決です。

たとえば、新しいイヌを飼い始めたとか、家族に赤ちゃんが誕生したなど、飼い主の興味が他に向いていませんか？　最近、イヌを長時間ほったらかしにしていませんか？　ほかにもハウスが落ち着かない場所に設置してあり、近所の騒音などがストレスの原因になっているケースも考えられるでしょう。

舐めるクセをやめさせるために、「エリザベスカラー」という治療器具を首に巻きつける方法もありますが、それがかえってストレスになることも考えられます。皮膚炎になってしまった場合は、まず炎症を治療するとともに、**ストレスの原因をつきとめて解消してあげることが大切**です。

しっぽの高さと振るスピードで、感情表現！

イヌに限らず、哺乳類のしっぽはそもそも、体のバランスをとるために存在するといわれています。また、集団を作って暮らしてきたイヌはしっぽを、仲間とコミュニケーションをとるために大いに利用してきました。人間関係ならぬ**「イヌ関係」を円滑にするために、しっぽは欠かせない道具**なのです。
しっぽの動きを観察すれば、そのイヌがどんな心理状態なのかを見極めるこ

とができます。**注目すべきは、しっぽの高さと振るスピード**。しっぽを高く上げているのは、自分の存在を誇示しているときです。自信満々な状態のとき、しっぽを高くあげて威厳を見せています。

　このようにしっぽをピンと立てている姿は、イヌのもっとも美しいポーズのひとつです。自信を持っているからこそ、いい姿勢をとるのですね。

　またイヌとイヌが出会ったとき、両者がしっぽを高く上げることがあります。これは見知らぬ相手に対して「自分のほうが優位だ」と主張する動きで、自分を誇示しながら、実は相手を警戒しています。このとき、しっぽの動きを注目してみてください。大きく振っていますか？　それとも小刻みに揺らしていますか？

　ゆっくりと振っているなら、警戒心はやや小さめ。相手を警戒しながらも、自分のほうが優位に立っているのだと感じて、なお様子を探っています。しっぽを上向きにし、小刻みで神経質に振っているときは、警戒心が大きい証拠です。さらに、しっぽを振りながら相手を睨《にら》みつけるのは、見知らぬ相手に対して、「自分のほうが上だぞ」と威嚇《いかく》しているサインです。それでも相手が服従しなければ、飛びかかる危険性もあります。

しかし、もし飛びかかったとしても本気のケンカではなく、いわば「イヌ社会」の儀式のようなものだと考えた方がいいでしょう。ただ、ペットとして飼っている以上、散歩中によその愛犬に飛びかかったりしたら、それこそトラブルの元です。

自分の飼いイヌが相手に反応しそうなときは、リードを引いて制止します。これでも飛びかかりそうなときは、その場で「おすわり」をさせて注意をそらし、相手のイヌが通り過ぎるのをじっと待ちましょう。

うれしい時だけしっぽを振るわけではない

「イヌがしっぽを振っているのはうれしいから」とよくいわれますが、実はうれしいときだけではありません。**しっぽを振って喜んでいたから手を出したの**

に突然噛みつかれた！などという、苦い経験を持つ人もいるのではないでしょうか？

しっぽを振るのは、何かに興味を持っているときです。必ずしも好意を抱いて喜んでいるときとは限らないのです。**目の前にいる人に警戒心を抱いているときにも、イヌはしっぽを振ります。**

警戒しているところに飼い主が手を差し出したものだから、驚いて噛みついてしまった、というわけです。そこには、**「自分よりも格下のくせに……」**という心理も働いています。とはいっても、自分のほうが優位であることを示すための行為ですから、それほど激しい噛みつき方ではないはずです。

なので、よそのワンちゃんが小刻みにしっぽをブルブル振って近寄ってきたら、それは必ずしも歓迎しているからではないかもしれません。むやみに近寄ろうとせず、しっぽの動きが落ち着いてから接近しましょう。

イヌは言葉を話せないので、態度やしぐさで気持ちを表現するしかありません。なかでも、しっぽを振る動作は大切な意味があります。

イヌがどのようにしっぽを振っているか、改めてよく観察してみましょう。

しっぽが上向きか、それとも下向きか。付け根からブンブン振っているか、先だけ小刻みに揺れている程度か、あるいはせわしない動きか。

もちろん、**イヌによって振り方もさまざまで個体差もあります。**日ごろから気をつけて様子を見ておくことが大事です。

しっぽを下げて振っているときは？

「しっぽを振っているのは喜んでいるとき」――これがすべて間違っているわけではありません。もちろん、喜んでいるときにもしっぽを振ります。たとえば飼い主が近寄ってきたとき、好きな人の姿を見つけたとき、イヌはしっぽを振って喜びを表現します。

しっぽを下げてくねらすように振るときは、甘えのサインかもしれません。ごほうびやエサを与えたとき、そんな振り方をしていませんか？　これは飼い

主への感謝を表す動きですから、やさしくなでてあげるといいでしょう。

ただし、しっぽが下向きでも小刻みに振っているときは、警戒心を抱いている場合があります。しっぽの振り方だけでイヌの気持ちがよくわからないときは、表情をヒントにするのもいいでしょう。

イヌもうれしいときと、そうでないときには表情が違います。 人間は笑うと自然に唇の両端が上がります。これと同じことがイヌにも当てはまります。口元が緩んで唇の両端が上がり、舌が自然と出ていることもあります。

また、しっぽがダラリと下がったままで、しかもゆっくりと振っているようでしたら、注意してじっくり観察してみてください。

いつもより表情が冴えないとか、元気がないのは、気分があまりよくない証拠です。エサの食べ方が少ないとか、弱々しい鳴き声をあげていたら、本格的に具合が悪いのかもしれません。心配なときは、早めに獣医に診せるほうがいいでしょう。

しっぽを後ろ足に挟むのは、怯えている証拠……

しっぽを下げる動きの中でも、背中を丸めて後ろ足の間にしっぽを挟みこんでいるときは、怯《おび》えている証拠です。体を低くして、見るからに弱々しいポーズに見えるでしょう。

これは**「あなたに逆らうつもりはありません。攻撃しないでください」**と、全身を使って訴えているのです。臆病なイヌはよくこういうポーズをとって、ブルブル小刻みに震えていることもあります。足が縮こまって、場合によってはそのまま後ずさり……。

同時に表情もよく見てみましょう。耳を下げて目を細め、口元は下がっています。こんなときは不安を抱えているのですから、飼い主はこれ以上、怖がらせないよう配慮することが大事です。話しかけるときも、立ったまま見下ろさず、しゃがんで姿勢を低くしましょう。上から見下ろされると、イヌはさらに

恐怖心をつのらせてしまいます。

また、**真正面に向き合うのではなく、横向きか、あるいは背中を向けてしばらく放っておく**のも、イヌを落ち着かせるよい方法です。

思わず「よしよし、大丈夫だよ」と声をかけたくなりますが、あまり大きな声はかえって驚かせてしまうので気をつけましょう。

自分のしっぽを追いかけるのは要注意！

テレビ番組の面白投稿ビデオで、イヌが自分のしっぽを追いかけ、その場でグルグル回っている姿が紹介されることがあります。「なんて芸達者なワンちゃんだろう」などと感心してしまいますが、これは芸としてやっているわけではありません。

見るものすべてに興味がある子イヌは、自分のしっぽに気づき、無意識で追いかけることがあります。ただし、**大人になっても自分のしっぽを追いかけるのは問題のある行動**です。見ていて面白いからといって、そのまま放置しないようにしてください。

なぜなら自分のしっぽを追いかけるのは、何かに興奮しているときや、何かのストレスを抱えている場合が多いからです。嫌いな車に無理やり乗せられた、長時間の留守番をさせられた、などということはありませんでしたか？

嫌なこと、やりたくないことをやらされたときには、こうした行動をとるケースが少なくないのです。

もしかしたら、**強いストレスを発散させるため**に、たまたま目についた自分のしっぽを追いかけたのかもしれません。放っておくとクセになり、原因のストレスがなくなっても、しっぽを追いかけていないと不安になる場合もあります。

また、しっぽの長い犬種の場合だと、追いかけているうちにしっぽに追いつき、がぶりと噛みついてしまうことも……。自分で自分を傷つけてしまうわけです。このような兆候を見つけたら、飼い主は愛情をたっぷりと注いで、不安な気持ちを和らげてあげましょう。ほかにも、十分な運動をさせてうまくストレスが解消できれば、次第にやらなくなるはずです。

気をつけたいのは、病気や寄生虫が原因となっている場合です。この場合、正確には**しっぽではなく、自分の肛門を見ようとして、ぐるぐる回ってしまう**のです。見た目には、しっぽを追いかけているときとあまり変わらないので、飼い主は気づきにくいかもしれません。

ストレスを抱えてないのに、飼いイヌがぐるぐる回る行動を続けるようでしたら、獣医に一度相談したほうがいいでしょう。

たれ耳のイヌは、耳の付け根の動きを見てみよう

イヌは心理状態によって、姿勢やしっぽの動きだけでなく顔の表情も変わってきます。**表情を読み取るときの重要なポイントは、実は耳の動き**です。

よく観察すると、イヌは耳をよく動かしています。ピンと立てたり、傾けたり、自在に動かしているように見えます。「耳介筋《じかいきん》」という筋肉の働きがいいため、動かすことができるのです。

本来、人間もこの耳介筋を使って耳を動かすことができたのですが、今ではこの筋肉は、ほとんど退化してしまいました。日常生活で耳を動かす必要がないために忘れてしまっただけ、という説もありますが。

イヌに限らず哺乳類は、耳介筋がよく発達しています。イヌやネコの耳を見ているとよく動くのがわかるでしょう。ただし耳が立っているイヌと、たれ耳のイヌがいるので、犬種によっては、その意味がわかりづらいこともあります。

「レトリーバー」や「ビーグル」などの**たれ耳の犬種の場合**、動きが小さいため、その気持ちを読み取るのが難しいかもしれません。しかしよく観察してみると、わずかに耳を動かしているのがわかります。**ポイントは付け根あたり。**耳が「ぴくっ」と動いて、いつもよりも力が入っているなど、小さな動きを観察します。顔の表情や体全体の動きにも注目して、どんな気持ちなのかを察知しましょう。そのためにも日頃から気をつけて、耳の動き方の特徴を知っておくとよいですね。

野生のイヌはもともと、子イヌのときには耳がたれていました。成長するにしたがって、耳が立ち上がっていきます。ところが、耳がたれたイヌのほうが**ペットとしての人気が高いので、耳がたれるように交配**されてきたのです。

たれた耳は、ビーグルなど狩猟犬種に多く見られる特徴でもあります。獲物を追いかけて藪《やぶ》の中を走るとき、耳の中をガードするために耳がたれていたほうが都合よかったのだ、といわれています。

ご主人様のお帰りを聴き分ける、優れた聴力

イヌの耳がよく動くのは、周囲の音を敏感にキャッチするためです。コミュニケーションのために、かすかな情報も聴き逃しません。

また外見からもわかるように、**たれ耳の犬種より立ち耳の犬種のほうが、音を集める能力には優れています。**立ち耳の場合、五万ヘルツ以上の高音も聴き分けることができるそうです。人間の場合は約二万ヘルツまでです。聴き取れる範囲も、人間に比べるとずっと広いといわれています。

さらに**イヌの聴覚は四方八方、どの方向から音が聞こえてくるかの判別が瞬時につきます。**体の向きをあちこちに変えなくても、耳が自在に動くことで、

すばやく音源を見つけることができるのです。
　家に帰ると、いつも玄関先に愛犬が待っているのを不思議に思ったことはありませんか？　ご主人様の足音を敏感に聴き分けて、家族の誰よりも早くお迎えに出てきているのです。
　イヌの聴覚がすぐれているのは、野生時代に獲物を捕獲するため、どんな小さな物音も逃さずにキャッチしていたからです。「カサコソ……」というかすかな音もすかさず聴き取ることで、獲物の動きを感じ取っていた時代の名残なのです。

耳をピンと立てているとき、耳を後ろに倒しているとき……

イヌが耳をピンと立てているときは、何らかの音を察知して用心しているときです。耳がぴくぴく動いていることもあります。落ち着いていて、穏やかな表情を浮かべているなら、「何だろう?」と興味を抱いています。

同じように耳をピンと立てているときでも、耳をやや前方に傾けて歯を見せるときは威嚇しているとき、あるいは自分を誇示しているサインです。周囲の状況に、ちょっと神経質になって緊張を感じています。

たれ耳のイヌの場合は、耳の付け根部分が立って、耳が水平に少し持ち上がっているはずです。さらに歯を見せていないか、注意してみてください。

気をつけたいのが、耳を後方に倒しているとき。この場合はいろいろな意味があって、マイナスの感情のときもあれば、プラスの感情のときもあります。

ヒントは表情です。耳が後ろに倒れていても、表情が穏やかならば、相手に

敬意を持っているときです。「仲良くしましょう」「服従します」と訴えていると思っていいでしょう。

しかし、耳を後ろに引きぎみにして左右にピンと立てているのは、マイナスの感情が働いているときです。何かに緊張しているか、怯えている証拠です。

さらに歯をむき出し、鼻にしわを寄せている場合は、相当怖がっている状態を示しています。何かイヌが嫌がるようなことを無理強いしていませんか？あまり無理をさせると反撃されかねないので、気をつけてください。

ちなみに耳を前後や上下に動かしているときは、どうしたらいいか思案しているときです。しばらく様子を見てあげましょう。

体をブルブル震わせるのは、寒いから？

イヌは体が濡れると、体をブルブルッと震わせて水滴を飛ばそうとします。ところが濡れたわけでもないのに、ブルブル体を震わせることがあります。背中がむずがゆくてモゾモゾしているのかな？などと思いたくなるようなしぐさですが、実はこれにも意味があります。

どんなときに体を震わせるか、よく思い出してみてください。たとえば、シャンプーをするために風呂場に連れて行こうとしたとき。または、散歩の途中でこのしぐさをしたので思い返してみたら、動物病院へ行くルートへ向おうとしているときだった……。

それは以前に、動物病院で痛い思いや嫌な経験があったのでしょう。そのルートを進むと**嫌なことがあるとイヌは覚えていた**のです。「そっちには行きたくない！」と踏ん張って、動かなくなってしまうイヌもいます。

体をブルブル震わせるのは、そこまで激しい拒否ではありません。反発すると飼い主に怒られるのがわかっているので、本当は行きたくないけれど、強く拒否するわけにもいかない……。**そこで体を震わせて、「嫌だ」という気持ちを表しているというわけです。**

また迷惑な行為をされたときにも、体を震わせることがあります。鼻水が出ているとき、タオルやティッシュで鼻を拭こうとすると、嫌がって体をブルブル震わせます。

鼻が濡れているのは、風邪を引いて鼻水が出ているからとは限りません。鼻先は匂いの分子を吸着させるため、いつも濡れています。食べ物の匂いがするときなど、もっとよく匂いを嗅ごうとして鼻先を舐めるイヌもいます。

匂いで情報をキャッチしようとしているのに、大事な鼻先をティッシュなどで拭かれてしまったら、イヌにとってはたまりません。そこで体を震わせて、「やめて」と訴えているのです。

チワワはなぜ、ブルブル震えるの？

小型犬の中でも人気が高い「チワワ」は、もっとも体が小さい犬種のひとつです。わずか体重一〜三キロ。愛らしい容姿をしているので、抱《だ》っこされる機会も多いことでしょう。

抱っこするとよくわかりますが、**チワワはよく体をブルブルと震わせています。**他の小型犬にはあまり見られない特徴なので心配になります。

震えているのには、いろいろな理由が考えられます。体が小さくて体温が下がりやすく、寒さに弱いので震えている可能性もあります。寒さの厳しい季節には暖房が欠かせません。

また体が小さいために、自分よりも大きい存在に怯えて震えていることも考えられるでしょう。**でもチワワは小さいわりに勇敢なところもあって、ときには大きな犬に吠えかかることも**あります。けれども、内心はやはり怯えている

のです。

当然、体調が悪くて震えていることだって考えられます。様子をよくみて、ぐったりしているようなら獣医に相談しましょう。

仰向けに寝転ぶのは、大切な意思表示

イヌは遊んでいると、仰向けに寝そべってしまうことがあります。なんだかだらしないしぐさで、お行儀が悪く見えますが、これは**イヌの最大の服従の姿勢**なのです。

「あなたには絶対に逆らいません。一〇〇パーセント信頼しています」と示しているしぐさなわけですね。

仰向けの姿勢は、お腹やのどが丸見えになります。**お腹やのどは、イヌにとっては最大の弱点！**　ガブリと噛みつかれたら、命に関わる重傷になりかねま

せん。だから少しでも警戒心を抱く相手には、絶対に見せない部分なのです。そんな大事な急所を堂々とさらしているのですから、これは**あなたのことをすっかり信じて安心している証拠**です。

しかし厳密にいえば、仰向けのしぐさにもいくつかの意味が隠されています。お腹を見せているイヌの表情や様子を、じっくりと観察してみてください。

口元が緩んでうれしそうな表情をしているときは、「飼い主のことが大好き」というサインです。だらしないからといって、叱ったりしたらかわいそう。

こんなとき、おしっこをしてしまうイヌもいて、さすがに飼い主も困ります。これは子イヌの頃に、母イヌに舐められておしっこをしていた記憶がよみがえったからです。母イヌに甘えるような気持ちになっているのでしょう。

ところが、仰向けになって服従のポーズをとっているにもかかわらず、近づいていくといきなりイヌが噛みつこうとする場合もあります。これは**いったん服従のポーズをとり、相手を油断させておいて一気に攻撃しようという作戦**です。この場合は、相手にせず無視すること。

また仰向けでもイヌが視線をそらせて、しっぽをお腹のほうに巻き込んでいるときは、実は緊張しています。

自分よりも強い存在に遭遇したときに見せるしぐさです。たとえば、大きいイヌと出会ったときなどに、自分は敵《かな》わないと判断して仰向けになることがあります。つまり降参のポーズです。「降参するので攻撃しないで！」と訴えているのです。視線をそらせるのは、緊張状態を抑えるため。しっぽを巻き込んで、より降参の意思を伝えています。

前脚を上げて上下に動かすのは、甘えているから？

イヌが前脚を上げて上下に動かしているのを見ると、その愛らしさに気持ちが和みます。まるで「お手」をしているようです。

一見、飼い主にすがりつき甘えているように思えますが、実はそうではありません。**ストレスを感じていて、自分を落ち着かせようとしているときによく見られるしぐさ**なのです。

このようなしぐさのことを「カーミング・シグナル」といいます。ノルウェーの動物学者・ルーガス氏が発見したとされるもので、不安やストレスを感じたときに、自分を落ち着かせようとするという説です。

つまり、イヌはむしろ不安を感じているのです。**前脚を上げるのに深い意味はなく**、たとえば人間の私たちが、ちょっと困ったときに頭をかくとか、思わず腕組みをするような**「無意識の動作」**と同じです。

こうして不安を感じながらも、ケンカやトラブルになるのを避けようとしています。散歩中によそのイヌに出会ったとき、もしも前脚を上げて上下に動かしていたら、見知らぬあなたに緊張しつつ、自分の方から攻撃する気持ちがないことを表現しているのです。

とはいっても、**飼い主に甘えて「遊ぼうよ!」と誘うときにも、似たようなしぐさをする場合があります**ので注意が必要です。前脚を上げたまま、ゆっくりとお辞儀をするように首を上げたり下げたりするしぐさです。また、左右に飛び跳ねることもあります。

ほかにも前脚を上げたまま、じっとして動かないときは、何かを見つけて緊張しているときです。エサを見つけたり、何か気になるものを発見したりしたとき、前脚を持ち上げてじっと観察します。人間だって背伸びをするように、じっと立って何かを見つめることがありますね。まるで同じなのです。

興奮して、しっぽの毛まで逆立ってきたら危険信号！

イヌの気持ちは、毛並みからも推測することができます。普段、安心しているときは毛並みも落ち着いていますが、時折、毛が逆立つことがあります。**わかりやすいのが背筋としっぽの毛並みです。**イヌの毛が逆立つのは「立毛《りつもう》筋《きん》」という筋肉の働きによるもので、興奮すると背筋の毛が逆立ちます。これ

は毛を立てることで、少しでも体を大きく見せようとしているのです。

これは相手に対して戦闘態勢を整えている段階です。でも背筋の毛が逆立っている状態は、まだそれほど興奮状態も大きくはありません。**もっと興奮すると、しっぽの毛も逆立ってきます。**前脚を踏ん張るようにして、今にも飛びかかりそうな姿勢を見せます。

しっぽを高く突き上げ、毛が逆立っているときは、もう一触即発のサイン。相手に強い威嚇の気持ちを持っています。もし散歩の途中で、他のイヌと出会ってこのような姿勢を見せたら、すぐに引き離しましょう。

興奮状態のときは、目の前の存在に敏感になっていますから、たとえ人間でも危険です。下手に刺激すると、攻撃されかねないので気をつけましょう。こんな姿のイヌがいたら、安易に近づかないことです。

逆に背筋の毛が逆立っているのに、しっぽが後脚の間に巻き込まれているのは、怯えているときです。姿勢を低くして、もし何かあればすぐに飛びかかろうとしていますが、内心はビクビク。逃げようか攻撃しようか迷っています。「なるべく争いは避けたい」とイヌも思っているはずですので、無理に追い込まずに、道を空けてあげれば自分から去っていくはずです。

またイヌが毛を逆立てたときに、フケが浮き出ることがあります。それまであまり目立たなかったのに、**気づいたらフケがいっぱい出てきて、ビックリした……。**こんな経験はありませんか？　もちろん、フケが急に増えたわけではありません。それまで体毛の奥に隠れていたフケが、毛が逆立ったときに持ち上げられて表面に出てきたものなのです。

ですから、気がついたら飼い犬にフケがたくさん出たように見えたときは、実際は毛が逆立ったせいなのです。つまり何かに怯えたか、緊張した証拠です。皮膚病を疑う前に、イヌに強いストレスがかかっていないか、怖い思いをさせたり嫌なことをしていないか、先にチェックしてみてください。

じっと見つめると、プイと視線をそらすのはなぜ？

スーパーやコンビニなどの店先で、繋がれたイヌの姿をよく見かけます。目の前を通る人の顔を確認しながら、飼い主が戻ってくるのをじっと待っています。イヌ好きな人は、こんな愛らしい姿につい見入ってしまいますね。

ところが、じっと見つめていると、なぜかプイと目をそらします。愛情をこめて見ていたつもりなのに、目をそらされると少々ショックです……。

でも、見つめられて恥ずかしかったわけでも、あなたのことが嫌いなわけでもありません。本来、**じっと正面から見つめられるのが苦手**なのです。初対面の人と会うときは目と目を合わせる、というのは人間のルールであり、イヌの場合はお互いの緊張状態を意味します。

ですから、急に見つめられて不安になったイヌは視線をそらせたのです。そうすることで、**「あなたを攻撃する気持ちはありません」**という気持ちも表し

ているのです。

視線をそらすのは、外にいるイヌだけではありません。あなたが飼っているイヌもそらすはずです。なにか後ろめたいことがあるのか、と気になるかもしれませんが、これはイヌにとってはごく当たり前の行為です。

群れで暮らしてきたイヌたちは、自分よりも上の立場のイヌとは視線を合わせません。無駄な戦いを避けるためです。それは相手が人間であっても同じ。つまり、ご主人様を「自分より上の存在である」と理解している証拠なのですから、視線をそらしたからといって叱ったらかわいそうです。

また、しつけが行き届いているイヌの場合、とてもうれしいときに視線をそらすこともあります。実は視線をそらすことで、自分が興奮しすぎるのを防いでいるのです。大好きなおやつを与えられたとき、おもちゃを見つけたときなどに、しっぽを振りながら、すっと視線をそらすのです。

むしろ、**まばたきもせずにじっと見つめ返してきたら要注意**です。イヌとイヌが出会ったとき、まずお互いに相手を探ろうという緊張感からじっと見つめ合います。そのうえで威嚇するか、それとも視線をそらせて服従するか、判断するわけです。

いつまでも視線をそらさないのは、強気になっていて「攻撃するぞ！」と思っているときです。相手が人間でもその気持ちは同じ。

通りがかりに見つけたイヌがどんなにかわいらしくても、そのイヌにとって、あなたは見知らぬ他人です。じっと見つめ返してきたら、不用意に近づかないほうがいいでしょう。

他にもじっと見つめると、**しきりにまばたきをするイヌもいます。**これも視線をそらすのと同じ意味です。見つめられるのが苦手なので、なんとか視線をそらそうとする行為なのです。しきりにまばたきして、攻撃する気持ちがないことを表しています。

イヌの目から感情を読みとるコツ

前述のように、イヌは真正面から見つめられるのが苦手です。こちらからじっと見つめると、視線をぷいっとそらすのはそのためです。もし見知らぬイヌがあなたをじっと見つめ返していたら、攻撃しようと臨戦態勢に入っているといえるでしょう。

もし**飼い主に対して、このようにじっとにらみつけることがあれば、しつけに問題がありそう**です。飼い主よりも、自分の地位が高いと思っているからです。もっと悪くすると、下位の者に対してケンカを売ろうとしているのかもしれません。

こんなとき**イヌの目から感情を読み取るには、瞳孔の大きさや白目部分の色がヒント**になります。人間もそうですが、目には心の動きが表れます。一般に動物は興奮すると、瞳孔が大きくなる特徴があります。興奮して体内のアドレナリンが血中に増すと、心拍数や血圧が上がり、瞳孔も開くのです。

このようにイヌの瞳孔が普段より大きく、白目部分が赤く血走っているときは興奮している証拠です。下手に手を出したりすれば、飼い主もガブリとやられる危険がありますから気をつけましょう。

また、にらむのではなく、じっと飼い主のことを見つめてくるときもあります。おだやかな表情の場合は、飼い主に何かを訴えているかもしれません。

イヌが何かをくわえていませんか？　遊び道具をくわえていたら「遊んで！」のサインですし、なかにはエサ用のお皿をくわえるちゃっかりものもいます。「お腹すいたよ。エサちょうだい」。他にも散歩に行きたいときに、リードや靴をくわえて訴えるイヌもいます。

まるで小さな子どもがおねだりしているようで、愛らしいしぐさですね。**イヌも何かを伝えようとして、ご主人様の目をじっと見て訴えることがある**ので、そのサインの違いに気づいてあげてください。

クンクン匂いを嗅いでから食べるのは疑っているから？

イヌは嗅覚や聴覚には優れていますが、視力はそれほどよくありません。エサやおやつを与えたとき、すぐにかぶりつく場合もありますが、クンクンと匂いを嗅いでから食べ始めるほうが多いようです。わざわざ匂いを嗅ぐのは、もらったものが何なのかを確認しているためです。

「匂いを嗅がなくても、目で見ればいいのに！」と思うかもしれませんが、イヌは視力があまりよくないので、一目見ただけでは判断できません。だから優れている嗅覚を使って、目の前のものの正体を突き止めようとするのです。

イヌの目はレンズが分厚く、ピントを合わせる筋肉があまり発達していません。**ほとんどのイヌが近視です。**友人宅に行くたびに、その家のイヌに吠えら

れた経験がありませんか？　何度も訪ねているから、イヌとも顔見知りになっているはずなのに、吠えられるとショックですよね。「イヌは人の顔が覚えられないのだろうか？」と思うかもしれませんが、それは勘違い。**吠えたのは、あなたの顔がよく見えなかったから**なのです。

また、目の前のものを見るのが苦手です。それは目の構造と関係があります。人間の目は、正面にふたつ並んでついていますが、イヌの顔は鼻先がとがっているので、左右の側面に離れて目がついています。そのため、すぐ目の前のものは見えにくいのです。

逆に、視野は人間よりも広いという特徴があります。人間の場合はだいたい一八〇度、よく見える人でも二〇〇度あたりまでしか見えませんが、左右に目がついているイヌは、もっと後方まで見ることができます。

犬種によって異なりますが、「アフガンハウンド」は約二七〇度の視野があるといわれています。「パグ」や「テリア」「ブルドック」のような、いわゆる平らな顔の犬種でも約二三〇度は見えるそうです。

近くは苦手だけど、遠くで動くものを見るのは得意！

イヌはその目の構造から近くを見るのが苦手ですが、その反面、遠くで動くものをとらえるのは得意です。

「動体視力」という、動くものを見分ける能力に優れているからです。静止しているものはぼんやりとしか見えないのに、はるか遠くで動いているボールは見分けることができます。

イヌの視力が人間と比べてどのくらい違うのか、正確に測るのは難しいのですが、ある研究データでは、**イヌの視力はだいたい〇・三〜〇・五程度**とされています。人間の平均的な視力は一・二くらいとされていますから、視力はあまりいいとはいえません。

しかし遠くで動くものを見る能力は人間よりもはるかに優れ、イヌによっては一キロ先の動きを認識することもあるそうですから、不思議なものです。

これは、イヌがかつて狩猟をしていた頃に備わった能力です。エサとなる獲物を見つけるためには、はるか遠くの動きも素早くキャッチすることが必要でした。とはいっても、目の見え方は犬種によって違いがあります。「ビーグル」は狩猟犬ですが、匂いで獲物を見つけるせいか、視力はあまりよくありません。「グレーハウンド」や「サイトハウンド」は、視力がとくに優れていて約二キロ先の獲物も察知できるといわれています。

また人間は左右の目が平面的についているおかげで、両目の視野の重なる領域が広く、ものを立体的に認識して、奥行きや距離感がわかるようになっています。**イヌの場合、両目の重なる領域が人間よりも狭いため、実は距離感をとらえるのが得意ではありません。**

イヌには「見えにくい色」があるって本当？

長い間、「イヌは色がわからず、ほとんど白黒で見えている」と信じられてきました。ところが最新の研究でこれは間違いで、色をある程度認識していることがわかってきました。

イヌは人間と違った色の見え方をしています。ボール遊びをしているときに、赤いボールを見失うことがあります。それはイヌには赤い色が見えにくいせいです。

哺乳類の動物の目には、色を感じるための「錐体《すいたい》細胞」がありますが、その細胞の数が人間とイヌでは異なっています。人間は三種類の錐体細胞があって、それぞれが赤、青、緑を感知します。この三色はいわゆる「光の三原色」で、目に光が入ってくると、人間は光の刺激でほぼすべての色を認識することができるのです。

ところがイヌの「錐体細胞」は二種類しかありません。**白黒の世界ではありませんが、**二原色で世の中を見ているため、人間に比べると認識できる色数は少なくなります。**なかでも赤はイヌにとって見にくい色です。**とくによく晴れた野外で赤は見分けづらく、ボール遊びをしていても、赤いボールをときどき見失うことがあります。

ボール遊びはイヌの大好きな遊びで、遠くまで投げたボールを追いかけて拾ってくるのは運動にもなります。ところが、イヌは赤い色が見えにくいので、せっかく追いかけていってもボールを見つけられず、あまり面白くないかもしれません。

ボール遊びをするときは、青や黄色、白などの色がいいでしょう。フリスビーも赤い色は避けたほうがいいでしょう。

目が夜光るのは、網膜の「反射板」のせい

イヌの視力自体は人間に比べると劣っていますが、状況によっては、人間がはるかに及ばないほどの能力を発揮します。視野が広くて、背後の動きも察知できることや、ずっと遠くで動くものを見つける能力などでは、人間はイヌに

到底かないません。

それだけでなく、暗いところを見る能力もイヌのほうが断然優れています。人間の目は暗いところでは、あまり役に立ちません。視力のいい人でも薄暗い夕方になると、看板の文字や人の顔が識別しにくくなります。

その点、イヌは暗闇でも障害物にぶつかることなく、歩くことができます。それどころか、走りまわることも可能です。**イヌは人間の目が感じ取れる約三分の一の光があれば、見分けることができる**からだとされています。

暗いところでも見えるのは、網膜の後ろに光を反射させる器官を持っているからです。この反射板が網膜を通り過ぎた光を反射させてさらに増幅し、ふたたび網膜に送り返しているのです。そのため明かりが少ないところでも、ものを見ることができる仕組みなのですね。

車のヘッドライトやカメラのフラッシュが当たったとき、イヌの目が光るのを見たことがあると思います。夜道で見ると「ドキッ！」としますが、イヌの目が光るのは、中にある反射板のせいです。

ネコの目も暗闇で光りますが、これも同様の仕組みです。

舌を出して「ハアハア……」呼吸するのは体温調整のため

運動をした後でもないのにイヌが口を開けて舌を出し、「ハアハア……」と呼吸していることがあります。とくに疲れているわけでも、具合が悪いわけでもなさそうです。

実は、これはイヌにとって自然な生理行動なのです。

私たち人間は、暑いときには皮膚にある汗腺《かんせん》から汗を出して体温を調整していますが、**イヌの皮膚には汗腺がなく、肉球などごく一部分からしか汗を出すことができません。**

そこで暑いときには口を大きく開けて舌を出し、「ハアハア……」あえいで体温を下げようとしているのです。このように人間と比べるとイヌは体温調整が難しいので、飼い主は暑さに配慮することが大事です。

とくに暑い時期の散歩には要注意！　イヌは道路から五〇センチ程度の高さ

のところを歩いています。夏場の地表はかなり高温になっていて、散歩している飼い主よりもずっと暑い思いをしています。散歩に出かける時間を早朝や夕方にずらし、こまめに水分補給させましょう。

それほど暑い時期でないなら、もしかしたら肥満のために、体温が上昇しやすい体質になっているのかもしれません。また子イヌや老犬は、体温調整がいっそう難しいので、日ごろから気をつけて様子を見ることが大切です。夏場はなるべくエアコンで室温を調整してあげましょう。

イヌの味覚は「うまい」を感じにくい？

散歩中、**飼い主が目をそらしたときに、道端に落ちているごみをパクリ。**ひどいときには、ウンチを食べてしまうことがあります。なんでも平気な顔をして食べるなんて、イヌには味覚がないのでしょうか？

イヌがものを食べる様子は、味わうというよりも、ガツガツと噛まずに飲み込んでいるように見えます。味覚があるのだろうかと疑問にも思います。

実はイヌは、あまり味覚がありません。**野生時代の名残で、味よりも食べられることを重視してきたせい**だといわれています。おいしいかどうかは問題ではなく、空腹を満たすことができるか、それが野生で生き抜くためには重要でした。

食べ物を食べたときに、甘いとか、しょっぱいなどと感じるのは舌の上にある味蕾《みらい》という器官の働きです。人間には味蕾の数が一万個ほどあり、「甘い」

「辛い」「しょっぱい」などの味を複合的に感じ取り、おいしいものとそうでないものを認識しています。

ところがイヌの味蕾は約二〇〇〇個、人間の五分の一ほどしかありません。とは言っても、まったく味がわからない味オンチというわけでもありません。

人間は、「甘い」「辛い」「しょっぱい」「すっぱい」「苦い」「うまい」の六つの味を感じ取ります。イヌも「うまい」以外の五つの味を感じ取ることができるといわれています。

つまり、**「甘い」「辛い」「しょっぱい」「すっぱい」「苦い」は感じられるのですが、イヌは味にこだわりを持っていません。**ただ、甘いものが好きなイヌは多いようです。

人間との暮らしが長くなり、お菓子やおやつを食べる機会が増えてきたせいかと思われるかもしれませんが、同じように人間と長く暮らしてきたネコの場合は、甘いものにそれほど興味を示しません。これはネコがもともと肉食で、野生時代に肉以外のものを食べてこなかったことに関係しているようです。

イヌは雑食で、肉だけでなく野生の果実なども食べていました。完熟した果実には果糖《かとう》が含まれているので、甘みを体験的に知っていたのでしょう。また、**イヌは味よりも匂いのほうが気になる**ようです。開封直後のドッグフードのほうが、古いものより好きなのはそのためです。同じような理由で、ドライフードよりも、缶詰などのウェットフードのほうが喜びます。

日本人の食事はバラエティーに富んでいます。朝食は和食、昼食は中華、夕飯はイタリアン、などということも珍しくありません。でも人間と違って、**イヌは毎日同じものを食べ続けても、飽きることはほとんどありません。**やはり味をそれほど重視していないからです。

でも食欲が落ちたときなどは、いつものドッグフードとは種類を変えてみるのもひとつの方法です。いつもと違った匂いの食べ物に興味を示せばしめたもの。匂いから食欲が刺激されるかもしれません。

また、ドッグフードの種類を選り好みするイヌもいます。同じようなフードなのに、なぜか食べないものがある……。いかにも味の好き嫌いがあるように見えます。けれどもこの場合は**好き嫌いというより、過去の記憶が関係しているのかも**しれません。

以前、同じフードを食べて具合が悪くなったことがあれば、イヌはおそらくそのことを覚えています。野生時代に食べられるもの、食べられないものを体験的に覚えてきたからでしょう。

ガツガツ食べるのは、お腹が空いているから？

イヌはエサを与えると勢いよく食べ始め、ほとんど噛まずに飲み込んでしまいます。「そんなに急がなくても、誰も横取りしないのに……」と、飼い主が思ってしまうことも。

人間の場合、食べ物をよく噛むことで唾液《だえき》と混ぜて消化を促します。小さく噛み砕けば胃腸への負担も軽くなりますが、イヌは飲み込める程度の大きさに噛み砕いたら、そのまま飲み込んでしまいます。

野生時代のイヌは、食べたいときに食べたいものが、すぐ食べられたわけで

はありませんでした。目の前にあるものを急いで食べてしまうことが、生きていくために必要なことだったのです。

食事の姿勢は無防備ですから、なるべく早く食べてしまわなければなりません。そのため、**なるべく早く口に詰め込み、胃袋に入れてから、ゆっくり消化するような体の仕組み**になっています。

ガツガツと食べていても、お行儀が悪いなどと叱らないようにしましょう。ただし、目の前にあるエサはどんどん詰め込んでしまいます。**好きなだけ食べさせると、肥満になってしまいます**ので注意してください。

食事の適量は、大型犬と小型犬では当然異なります。また人間と同じように年齢や性別、日常の運動量などによっても、適切な分量は違ってきます。

目安とされているのは、体重五キロ前後で一日約三五〇キロカロリー、体重一〇キロ前後で約六〇〇キロカロリーです。さらに体重二〇キロ前後なら一〇〇〇キロカロリー、三〇キロ前後なら一四〇〇キロカロリー程度とされています。これには、エサだけでなくおやつも含まれます。

もちろん運動量によっても異なってくるわけで、この数字は一日二回散歩し、さらに三十分～一時間程度遊んであげた場合です。

これよりも運動量が少ないなら、摂取カロリーは控えなければなりません。大体八五パーセント程度が目安です。つまり体重二〇キロなら一〇〇〇キロカロリーのところ、運動量が少なかったら八五〇キロカロリーということになります。

反対に運動量が多いなら増やします。日常的に体重を量り、体重の増減にあわせて食事量を調整しましょう。体重が減っていたらエサの量を増やし、太り気味ならエサを減らします。繰り返しているうちに、適切な分量がわかってきます。

エサの量を減らすのは、何だかかわいそうに思えます。しかし、健康を維持するために、獣医に相談するなどして、適正な量を守るようにしましょう。

エサの回数は以前は一日一回でいいとされていました。しかし一度にたくさん食べるのは胃腸への負担も大きいため、今ではだいたい一日二回が適切とされています。


年齢とともに運動量が減ったら一日二回にこだわらず、少量ずつ三回与える

のもいい方法です。

頭を下げて、しっぽを振るのは「遊んで！」のサイン

イヌはしぐさで感情を表現します。それは飼い主に対してだけでなく、他のイヌに対しても同じことです。もちろん「ワンワン！」と吠えてイヌ同士はコミュニケーションをとりますが、その言葉は人間には理解できません。しぐさやポーズから気持ちを理解してあげましょう。

イヌ同士は、互いの匂いを嗅ぐことが挨拶です。吠えて匂いを嗅がせようとしないこともあります。

初対面で吠えるのは、驚き、怯えているからです。相手を威嚇しているときもあります。四肢を突っ張って背筋を伸ばし、牙をむき出すように吠えます。体毛も逆立ち、しっぽを立ててゆっくりと動かしています。このようなしぐさ

は怒っているサインです。イヌ同士だけでなく、人間に対しても同様なしぐさを見せます。

仲良く遊びたいときに見せるしぐさもあります。**前脚を伸ばして頭を下げて、お尻を上げるようなポーズ**です。ネコが伸びをするときのようなしぐさと考えるとわかりやすいかもしれません。しっぽは高く上げて、左右に激しく振っています。

一見、頭を低くして前脚を伸ばしているため、今にも飛びかかろうとしているようにも見えます。そう勘違いして、飼い主が心配して引き離そうとするのは間違いです。

姿勢を低くして、相手を遊びに誘っているのです。それなのに無理やり引っ張られてはかわいそう。他のイヌと友好的になっていたところを邪魔されては、ストレスにもなります。相手が嫌がっているのでなければ、しばらくそのまま様子を見守りましょう。

もしもあなたの愛犬が、初対面の人にこのような姿勢を見せたとしたら、**「その人と仲良くなりたい」という意思表示**です。もし見知らぬ人だったら、

その人に挨拶をしてイヌの気持ちを伝えてあげてください。ただしイヌがどんなに歓迎していても、相手が動物嫌いな人の場合もあります。事前にひとこと言葉を交わすだけで、失礼もなくなります。

また、たくさんイヌが集まって遊んでいるとき、じゃれているのか、それともケンカしているのか、見分けがつきにくいときもあります。追いかけたり、飛びかかったりしても、**それがすべて攻撃とは限りません。**子イヌの頃には噛みつくことも、大人になるために必要な学習です。

噛みついたり、飛びかかったりした

後に、頭を低くしてお尻を上げるポーズを見せるようなら、遊んでいると考えられます。「多少乱暴なことをしたけど、これは冗談だからもっと遊ぼう！」と表現していると考えていいでしょう。

もちろん、どちらかがあまりにも興奮しているようでしたら、引き離さなければなりません。

後脚で体を掻くときは気分がいい？

イヌはときどき座り込んで、体をもぞもぞ掻《か》くことがあります。「そんなに不潔にしているわけでもないのに……」と飼い主は心配になります。「ノミでもいるのかしら？」と調べてみても、とくに異常はない。

このように**体を掻くのは、特別かゆいからとは限りません。前脚なのか、それとも後脚を使っているのか、よく観察してみてください。**

よく見られるのが、**後脚で掻く姿。**ペタリと座って体を丸めるようにして、後脚で首の後ろなどを掻いています。

このしぐさをするときは、**満足してうれしいとき**のようです。大好きなエサをもらったときや、いつもよりたくさん遊んでもらってから、後脚で体を掻いていたなら、それはうれしかったという気持ちを表わしています。

このしぐさを見せたら、飼い主に対して「どうもありがとう」「楽しかった」「うれしいな」と言っているのですから、頭や体をなでてあげましょう。

反対に、まるでネコのように前脚で掻くこともあります。ネコは脚を舐めて濡らし、顔をなでることから「顔を洗っている」などといわれます。唾液をつけて顔をぬぐって、体についた匂いや汚れを落としているのです。

ところがイヌの場合、ネコとはまったく意味が異なります。**イヌにはネコのように、脚を舐めるという行為はありません。**そのまま脚でゴシゴシ体をこすります。体がかゆいのかと思いがちですが、これは不満があるときの行動だといわれています。

たとえば、飼い主が他のことに熱中していて構ってもらえないとき、このしぐさをよくします。お客様と話し込んでいるとき、自分のイヌがわざわざ目の前に来て、**前脚で体を掻くことありませんか?**

これは**「自分にも注目してほしい」と訴えているしぐさ**ですが、イヌは無視されるのが一番苦手！　飼い主には無視するつもりがなくても、長時間ほったらかしにされると、その状態に耐えられなくなってきます。無視され続ける不満から、つい前脚で体を掻いてしまうのです。

また**後脚、前脚にかかわらず、叱られているときにもイヌは体を掻きます。**まるで、気まずくてポリポリ頭を掻くようなしぐさです。これは叱られている状況にストレスを感じて体を掻いてしまうのです。こんなしぐさを見せているときは、叱ってもあまり効果がありません。飼い主の注意に集中できていないからです。

もちろん、かゆいから体を掻くとは限らないといっても、皮膚病などにかかっている場合もあるので、頻繁に体を掻くときは体をよく調べてみましょう。

涙を流すのは悲しいから？

イヌの表情をじっと見ていると、目が潤《うる》んでいることがあります。潤む程度ではなく、時には涙が流れて「うちの子が泣いている。悲しいのかしら？」と驚いてしまうことも。

たしかにイヌは涙を流すことがあります。しかし、それは悲しかったり辛かったりしたからではありません。

人間は目にゴミが入ると涙が出ますが、実はイヌの涙もそれと同じです。ただ**人間と違って、イヌは目にゴミが入っても、手を使ってぬぐうことができません。**そこで涙を出して、ゴミや異物を流そうとしているのです。

ただし、いつも目が潤んでいるときは注意が必要です。涙が大量に分泌されるのは、角膜炎や結膜炎といった病気にかかっている可能性が考えられるからです。

涙で潤んだ目をそのまま放置しておくと、まぶたや目元に炎症を起こし、湿《しっ》疹《しん》ができることがあります。**涙に含まれる成分のせいで、目や鼻の周囲の毛色が変わってしまう場合も……。**

涙の色がにごって、目脂《めやに》やウミのようなものが溜まっているときは、すぐに獣医に診せたほうがいいでしょう。

第2章

行動やしぐさに隠されたイヌの気持ち

あくびをするのは、ストレスや緊張の表れ

叱っているときに、イヌが突然大あくび。飼い主としては真剣に叱っているのに、あくびをするなんて！

人間のあくびは眠いときだけに出るものではありませんが、イヌのあくびも実は同じです。

イヌは緊張しているときや、ストレスを感じたときにあくびをします。つまり飼い主が怖い顔をして叱っているのを見て、緊張感が高まり、ついあくびが出てしまったというわけです。

散歩の途中で、よそのイヌと出くわしたときに、あくびをすることもあります。これも眠いわけではありません。見知らぬイヌと争いになるのを避ける手段として、わざとあくびをするのです。

この場合のあくびには、ふたつの意味があります。自分の緊張感を和らげる

というのがひとつ。**もうひとつは、相手に対して自分は敵意がないことを示すとき。**「なんだ？　こいつ」と思っても、こちらが大あくびをしていたら、相手も対抗意識が自然に薄れることでしょう。

相手がイヌのときだけでなく、人間が大勢いる場所や初めて訪れる場所など緊張感が高まるシーンでも、あくびをして緊張感を和らげようとします。

見知らぬ人がたくさんいるような場所は、人間でも緊張しますよね。イヌはこういう場合、あくびをすることで自分の気持ちを和らげるとともに、相手の気持ちもなだめようとしているのです。

もちろん、眠いときや疲れているときにも「自然現象」としてのあくびが出ますが、飼い主の夜更かしにつき合わされて寝不足気味になったとしても、そんなときは昼寝をして睡眠時間を確保しているので、イヌはあまり睡眠不足にならないようです。

ですから、**叱っている途中で愛犬があくびをしたら、「困惑している」と理解してください。**それ以上叱っても、あまり効果は期待できません。

叱っているうちに飼い主も興奮して、つい長時間、小言を言ってしまうことがあるでしょう。ところが、あれこれ言われ続けても、イヌは人間の言葉が理解できているわけではないので困ってしまうだけなのです。

あくびの他にも後脚で体を掻き、舌を出して鼻先を舐めるのも、同じような意味があります。叱られるのが苦痛で、できればもうやめてほしいと考えています。しっぽをゆっくり振って、体の向きを変えて後ろ向きになろうとするなどの態度も同じです。

こうしたしぐさは何気ないものだけに、飼い主は気づきにくいようです。しかし、**この状態で叱り続けても効果がほとんどない**ばかりか、イヌのストレスが強まる一方ですので注意しましょう。

あちこち「クンクン」は情報収集

イヌは視覚よりも嗅覚のほうが優れています。そのせいか、しょっちゅうク

ンクンあちこち匂いを嗅ぎまわります。

知らない場所ならともかく、**いつも歩いている場所でも、まるで初めての場所のようにクンクン**します。散歩の途中にあちこちで立ち止まるので、飼い主が「早くしなさい！」とリードを引っ張るシーンもよく見かけます。引き摺られながらも、ふんばって匂いを嗅ぐ強情なイヌもいて、何が臭《くさ》いのかと思いますが、実は臭いから匂いを嗅いでいるわけではありません。**イヌは匂いを嗅ぐことで情報収集しています。**いつも通っている場所でも、いつ頃、どんなイヌがそこを通ったのか、最新情報を収集するための行為なのです。さらに通ったイヌの体調や、雌だったら発情の状態もわかるのです。散歩しながらあちこち匂いを嗅ぐのは、イヌが自分のなわばりをチェックするためだともいわれています。いつも自分が通る道は、なわばりなのです。その中に他のイヌの匂いがあれば、なわばりに侵入された証拠。どんなイヌが、いつ頃どんな状態でやってきたのか、匂いを嗅ぎながらチェックしているというわけです。

また匂いを嗅ぎ、情報を収集したら、それで終わりではありません。自分がそこを通ったという痕跡を残します。それはおしっこ。**つまり匂いをクンクン嗅いだら、おしっこをする前触れ**と考えておいたほうがいいでしょう。

散歩の途中なら、おしっこをしてもいい場所かどうか、配慮するのが飼い主のマナーですね。よその家の玄関先や店先、門柱などでおしっこをするのは失礼にあたります。

また最近では、イヌの尿が樹木を痛める原因になることが問題視されています。散歩時に水道水を入れたペットボトルを持ち歩いて、おしっこを洗い流す丁寧な飼い主もいます。

もちろん、**おしっこをしてもいい場所なのかどうか、イヌには判断できません。**おしっこをしてはいけない場所で匂いを嗅ぎ始めたら、すぐにやめさせて移動しましょう。

ちなみに、匂いを嗅ぐのは散歩の途中だけではありません。人と出会ったときにもします。人間は相手の顔を見て誰なのかを判断しますが、イヌは匂いで相手を見分けるのです。ときには、相手の股間に鼻先を押しつけることもありますが悪気はありません。むしろ興味を抱いていて、もっと知りたいと思っている証拠です。でも、これは不愉快になる人もいますので気をつけましょう。

家の中を「クンクン」嗅ぎまわったら要注意！

もしイヌが家の中でクンクン匂いを嗅ぎ始めたら、それはトイレを探している兆候です。トイレの場所を変えたときなど、どこで用を足したらいいのかわからず、**自分のおしっこの匂いを探している**のです。

トイレ以外の場所で粗相《そそう》されたら、念入りにきれいに掃除する必要があります。イヌの尿の匂いは、人間には分からなくてもイヌには分かります。すると**そこがトイレだと勘違いして、また粗相してしまう**のです。

トイレ以外の場所で粗相したら、くれぐれも匂いが残らないように、漂白剤や脱臭剤を使うといいでしょう。

ただ、よほどのことがない限り粗相はしません。散歩のときにだけ排泄する

ようしつけられていると、散歩の時間がくるまでじっと我慢するほどです。庭やベランダ、バルコニーにトイレがあるのに、窓が閉まっていて外に出られないときなどは、健気にも窓の側でじっと待っています。

そうしたイヌが粗相をするのは、強いストレスや不安を感じたとき、あるいは体調が悪いときなどが多いのです。飼い主はむやみに叱らず、心当たりがないか考えてみてください。

お尻をくっつけてくるのは、信頼の証？

真冬の木枯らしの中、動物園のニホンザルたちがひとつに固まって寒さをしのぐ姿がよく紹介されます。まるでだんごのように固まっていることから、「サルだんご」などと呼ばれています。

このサルだんごをよく見ると、サルの顔はみんな外を向いています。

実は集団で体を寄せ合うのは、野生動物の習性です。寒さをしのぐとき、夜眠るときも、サルたちは集団で体を寄せ合っていました。野生時代のイヌも、同じような体勢をとっていたといわれています。

このとき、前方は目や耳があるので注意しやすいのですが、盲点は背後です。背後から敵が迫ってくるのを察知するのは、容易ではありません。

そこで集団で背後を警備するために、お尻を合わせる体勢をとります。そうすれば死角もなくなります。いざというときに敵を攻撃したり、素早くダッシュして逃げたりすることもできます。

お尻や背中をくっつけあうのは、野生動物にとっては「防御の体勢」であるのと同時に、「攻撃しやすい体勢」でもあるわけです。

ちなみに**ペットのイヌが飼い主にお尻をくっつけてくるときは、リラックスしている証拠**です。ペットの場合、背後から襲われるような危険はありません。飼い主と一緒に過ごしているときは、一番安心していられるひとときです。

ですから飼い主は、そんな気持ちを考えずに「お尻をくっつけてくるなんて

失礼な！」と怒ってはいけません。お尻をくっつけるのは飼い主を信頼しているからこそ。**飼い主の言うことを全く聞かないイヌは、こんなポーズを決してとりません。**安心してお尻をくっつけている気持ちを、理解してあげましょう。

ただし、**お尻を床にこすりつけているときは、病気の可能性もある**ので注意してください。具体的には、お尻を床につけたまま前脚だけで移動するようなしぐさです。これは、おそらくお尻・肛門の辺りがむずがゆくて、気になっているからです。肛門付近が汚れていないか、炎症を起こしていないかをチェックしてみてください。腫れたりブツブツが出来たりしていたら、獣医に相談しましょう。

チャイムが鳴ると吠えるのはなぜ？

「ピンポン」とチャイムが鳴るたびに、吠えるイヌがいます。お客さまが来たことを知らせるチャイムを初めて聞いたとき、イヌにとっては驚きだったはずです。びっくりして吠えたのでしょう。

ところが、それからチャイムが鳴るたびに吠える。音にも慣れたはずなのに、毎回吠えるのでお客様も驚いてしまいます。

チャイムの音に吠えるのは、音が鳴ると誰かが来ると学習したためです。見知らぬ来訪者を警戒しているか、または誰かが来るのがうれしくて興奮して吠えるケースもあります。

警戒心で吠える場合も、喜んで吠える場合も、それが何度も続くうちに、チャイムが鳴ったら吠えるのがクセになってしまいます。いわゆる条件反射です。ロシアの生理学者のパブロフは、イヌの行動を観察する中で、この条件反射に気づきました。エサを与えるときにベルの音を聞かせる実験を繰り返した結果、ベルが鳴っただけで唾液を出すようになったのです。

チャイムが鳴ると吠えるイヌも、これと同じです。

しかし、いつものことだからと放っておくのはよくありません。吠えることで次第に興奮してエスカレートし、これが抑えきれなくなると、お客様に飛びかかることもあります。

やめさせるには、ちょっとした訓練が必要です。まず家族のうちの誰かがチャイムを鳴らし、もうひとりが室内でイヌの様子を見ています。「ピンポン」と鳴って吠えても、徹底的に無視します。

このとき**「吠えたらダメ」などと叱るのは、吠えれば飼い主が声をかけてくれると勘違いするので逆効果**です。イヌにとって、叱られるよりも辛いのが無視されること。しばらく無視しているうちに、吠えるのをやめるはずです。そうしたらほめてあげます。ごほうびを与えて頭をなでてあげましょう。

チャイムの音と同時に玄関先へ走っていくようでしたら、ドアを開けずに無視します。

何度か繰り返すと、チャイムが鳴っても、吠えなければほめてもらえると理解して吠えなくなるのです。

もうひとつの方法としては、「チャイムが鳴ったら吠える」という条件反射を利用して、**別の仕事を与える方法**もあります。

チャイムが鳴ったら、すぐにボールを投げてそれを取りにいかせたり、ハウスに入るように指示してみるのです。「チャイムが鳴ったら、吠えて飼い主に知らせる」という条件反射を断ち切り、他の仕事を与えるやり方です。飼い主の指示に夢中になって、吠えるのを忘れてしまいます。

他のイヌに向って吠えるのは敵対心？

散歩中に他のイヌと出会って、すれ違うことはしょっちゅうです。何度か出会ううちに、飼い主同士も顔見知りになって、飼いイヌを通じた交友関係が広まるのはよくあります。お互いにイヌ好きですから、会話も弾むでしょう。

こうした出会いを楽しみにしている人も、少なくないかもしれません。ところが、「仲良くなりたいのだけれど、なかなか……」と苦い顔をする飼い主もいます。飼いイヌが**他のイヌに出会うたびに必ず激しく吠える**ので、とても友達になれる状況ではないというのです。

他のイヌに向って吠えるのは、さまざまな理由があります。一般的によくいわれるのが、緊張しているために吠えるという説明です。

人間でも、見知らぬ人と出会ったときには緊張します。イヌも同じで、いつも通っている散歩ルートに見知らぬイヌがいたら、「さあ、どうしようか？」

と緊張感が走るのです。

「いったい、どこの誰だろう?」「どのように接したらいいだろう?」と困っています。「自分のなわばりに入り込んでくる邪魔なやつだ」と威嚇する場合もあります。「こっちに来ないで!」と怖がる、反対に「一緒に遊ぼう!」と友好的になる場合もあります。

イヌはもともと群れで行動していました。しかし飼いイヌは、生まれてすぐに親や兄弟と引き離されて人間の世界で育っています。**イヌの社会で育っていないため**に、他のイヌと外で出会ったときにどうしたらいいのかわからず、緊張してしまうのです。

子イヌの頃からいろいろなイヌと接する機会があれば、いきなり吠えることはないでしょう。

また、幼い頃の体験から、トラウマを抱えているケースも考えられます。他のイヌに攻撃されてケガをし、屈辱的な思いを味わうなど、嫌な思いや怖い体験をしたのかもしれません。

過去にそうした経験があると、それがトラウマとなって、他のイヌを見ただけで恐怖心を抱くことがあります。

飼い主はそうした行動を「やめなさい」と言いたくなりますが、イヌは叱られると、不安や恐怖がますます増して、さらに吠えることも考えられます。

他のイヌの姿が見えたら、まず座らせて落ち着かせましょう。お座りしていると、相手のイヌも不安を感じにくくなり、向こうから吠えてくることもありません。通り過ぎるまで大人しくできたら、たっぷりとほめてごほうびをあげます。

これを繰り返すうちに「吠えずに大人しくしていれば、いいことがある」と理解すれば、それ以降は吠えなくなるはずです。

無駄吠えするイヌの心理

何かあるたびに、「ワンワン！」と大騒ぎして吠えるイヌがいます。家の前

を誰かが通り過ぎただけで吠えることもあります。
吠える理由がわからないと「無駄吠え」しているように感じますが、吠えるのにはちゃんと理由があります。人間には無駄なように見えるかもしれませんが、**イヌは必要だからこそ吠えている**のです。

理由はいくつか考えられます。家の前に人が近づいたときに吠えるのは、警戒心が働いているせいでしょう。家の前を人が通り過ぎるのは、イヌにとって一大事。**家の前の道もいわば、自分のなわばりの範囲**なのです。そこを誰かが通っているのですから、「いったい誰が何をしているんだ?」と警戒します。

イヌを「番犬」として飼うケースが、以前は多くみられました。家人が寝静まった夜に、見知らぬ侵入者に対して「ワンワン!」と吠えて異変を知らせ、家人を守ってきたのです。

その心構えは今もイヌの中に残っていて、誰かが家に近づいてくると警戒して吠えるのです。けれども、現代社会では吠える声が近所迷惑になり、「無駄吠え」と扱われてしまいます。

もちろん、吠えるのはごく自然なことです。吠える行為そのものには問題ありませんが、吠える場所や時間、声の大きさなどによっては、やはり社会生活で迷惑になることがあります。

吠え癖は、環境に左右されるといわれています。**一般に、戸外で繋ぎっぱなしにされていると、よく吠える傾向がある**ようです。ずっと繋がれていると運動不足になり、退屈してつい無駄吠えしてしまうのでしょう。

家の中でずっと飼育されていても、外で物音がするたびに敏感に反応することがあります。子イヌのときに親兄弟から引き離すのが早すぎると、無駄吠えしやすくなるとも……。幼い頃に家族と引き離されて、不安を感じやすい性格になっているのかもしれません。

無駄吠えをやめさせるには？

家の前を人が通るたびにイヌが激しく吠えると、やかましいし、通行人も迷

惑します。あまりひどい無駄吠えは改善しなければなりません。

イヌには誰が怪しい人なのかの区別はつきませんが、**日常の生活であまり触れる機会が少ないタイプは、不審な人間だと判断する傾向**が見られます。

たとえば女性の多い家庭で暮らしているイヌは、男性を見ただけで吠えて、怖がることがあります。また若い人に飼われていると、年配の人に対して吠えるケースも……。若い人と比べて動作がゆっくりで、杖などをついているので恐怖を感じるようです。

またイヌは、近づいてきた小さな子どもに対して攻撃的になることもあります。小さな子どもは、ちょこまか走り回り、急にしっぽを引っ張ったり、耳をつかんだり……。予測不能な動きをすることが多いので、苦手に感じるイヌが少なくありません。子どものほうがけたたましく泣き出して、結局自分が叱られるなど、近づいてもいいことがないと学習しているイヌもいるようです。

このように「見知らぬ人」を察知するたびに家人に知らせているのですが、それが家人には悩みの種に。イヌが無駄吠えするたびに叱ることになります。でも単に叱っているだけでは、無駄吠えをやめさせることはできません。**イヌ**

はそれが自分の仕事だと思っているので、叱られてもやめないからです。

飼い主にほめられたくて吠えているのに、逆に叱られてストレスがたまり、無駄吠えが悪化する場合もあります。すぐに興奮を静めようとして体をなでるとか、近づいて背中を叩くのはあまりいい対処法ではありません。「吠えれば飼い主が構ってくれる」と勘違いするので逆効果なのです。

飼い主はリーダーシップを発揮して、おすわりや伏せで、まずイヌを落ち着かせましょう。**吠えるのをやめたら、ほめる。これを繰り返していく**ことで、イヌは「静かにしなさい」という命令の意味を理解できるようになるのです。

また日常的に、いろいろなタイプの人に慣れさせるのも大切です。散歩のときなどに顔を合わせたら、飼い主がイヌを落ち着かせ、怖くないことを根気強く教えましょう。

人間のほうも、イヌを驚かせないように気をつけなければなりません。何をするかわからないような小さな子どもと会ったときは、周囲の大人が注意を払う必要があります。

家の中で、お客様に吠える場合はどうしたらいい？

家の中でイヌが吠えるケースとしては、来客が考えられます。**家の中は、イヌにとって縄張りの範囲です。**そこに家族以外の人が入ってくるのですから、吠えるのは当然の行為かもしれません。

しかし、お客様には大変失礼になりますから、やめさせなければなりません。イヌ好きな人なら、多少吠えられても嫌な顔をしないかもしれませんが、いつもそのようなお客様とは限りません。なかには動物が苦手な人もいるはずです。

来客に対して警戒して吠えているのですから、まず落ち着かせて、危険がないと教えましょう。顔見知りになってくれれば、次第に吠えなくなりますし、飼い主が落ち着いていれば、イヌもそれほど興奮しなくなります。

また、しばらく静かにしていたのに突然吠えることがあります。来客が急に

立ち上がったりすると、警戒心がぶり返してしまうのです。吠えるのをやめたといっても、警戒心をすっかり解いたわけではありません。イヌは、お客様の一挙手一投足をこっそり観察しています。そのため、立ち上がって手を上げるなど大きな動作をすると、ふたたび警戒心を強めて吠え始めます。

逆に、構ってほしくて吠えることもあります。お客様と長時間話しているときなどに突然吠え出したら、**イヌは退屈してきたのです。ご主人様の注意を引こうとして吠えている**のですね。

こういうときのイヌは、構ってほしい気持ちがあるものの、お話し中にちょっかいを出している後ろめたさも感じています。そのため、じっと飼い主の顔を見て吠え続けるというより、むしろ顔を背けて目を合わせません。叱られるのが怖くて耳を倒している場合も……。

構ってほしくて吠えているとき、その要求に飼い主が応えると、イヌがわがままになります。注意しなければならないのは、なだめること、叱ることも、構ってもらったと解釈することです。だからといって放っておくと、吠え方が激しくなることもあるので、毅然とした態度でハウスに入るように命じましょう。

エサの時間に催促で吠えるのは、賢い証拠？

イヌを飼っている家庭では、たいてい時間を決めてエサを与えています。**エサの時間になると、催促で吠えるイヌもいる**でしょう。毎日同じ時間だと、イヌも「そろそろご飯だな」と時間の感覚を覚えるようになるのです。

そんな愛犬を見て、「うちの子は時間を覚えて、なんて賢いのだろう！」と喜ぶ飼い主――。でも、ちょっと待ってください。

エサの時間になったから催促するようなわがままを許してしまうと、吠えるのがクセになってしまい、治らなくなります。**「吠えればエサがもらえる」と理解してしまう**からです。

ですから、たとえエサの時間でも、吠えている間はエサを与えないようにし

ます。吠え方がエスカレートしても、じっと我慢です。お腹が空いているのにそれを無視するなんてかわいそう、と思うかもしれませんが、きちんとしつけをされたほうが幸せなのだと考えましょう。

静かになるまで根気強く待ちます。その間、**飼い主たちの食事時間になっても遠慮は無用**です。

愛犬にエサを与えないで我慢させておいて、自分たちだけさっさと食事をするのは「さらにひどい！」と感じる人もいるでしょうが、人間が食事を我慢する必要は全くありません。食べている間に吠え続けても、ひたすら無視してください。それが愛犬のためなのです。

このように、吠えるのをやめてからエサを与えます。そうすることで、**「いくら吠えてもエサがもらえない。静かにしていればエサがもらえる」**ことにイヌが気づいていきます。「いくら吠えても、エサがもらえない」と理解できれば、無駄吠えのクセもなくなるはずです。

イヌが「遠吠え」するのはなぜ？

イヌは普段「ワンワン」と鳴きますが、それとは違う、もの悲しそうな声で遠吠えすることがあります。アニメや映画の夕暮れシーンでは、「ウォーン！」という遠吠えが効果音としてよく使用されています。どことなくさびしげで、ときには不穏な気配も感じさせます。

遠吠えといえば、オオカミの遠吠えは有名ですね。群れで生活していたオオカミが仲間とはぐれてしまい、「ここにいるよ！」「さびしいよ！」という気持ちを、群れに知らせるために遠吠えする……。

もし飼い犬が遠吠えしていたならば、飼い主が外出していてなかなか帰ってこない状況なのかもしれません。

遠吠えは、遠くにいる仲間とのコミュニケーション手段です。今でも遠吠えが聞こえてくると、それに反応して遠吠えが続くこともあります。近所のイヌ

が一斉に鳴きだして、大合唱になった記憶はありませんか？　これは情報交換ではなく、鳴き声が聞こえてきたので「何？」とつられて吠えているようです。

イヌはもともと群れで行動していたため、長時間ひとりきりにされると、さびしくなります。飼い主が留守がちで、一匹だけ庭に出されるといった状態が続くと、さびしさのあまり遠吠えしてしまうのです。

遠吠えが気になるときは、長らくひとりぼっちにしていないか思い出してみてください。ときどき一緒に遊んで、退屈をまぎらわせてあげましょう。

また**遠吠えと似た音に反応して、突然鳴き出すケースも**あります。音楽やサイレンの音などが聞こえると、それにつられて遠吠えするイヌもいます。音楽が鳴ると決まって遠吠えするため、「うちのイヌは音楽に合わせて歌っている」と喜ぶ飼い主もいますが、飼い主がうれしそうにしているのを見ると、イヌのほうもうれしくなって、同じことを繰り返すようになります。

遠吠えとは違いますが、「クーン、クーン」と高い声で鳴くのも、さびしいときです。**イヌの鳴き声は、一般的に音が高くなるほど恐れや不安が強い状態**といわれています。たとえばケンカに負けて逃げ出すときに、「キャンキャン！」と鳴くのも同じです。

「唸れば思い通りになる」と思わせたらＮＧ！

イヌの鳴き声が低いときは、だいたい怒っている場合です。吠えるというより**「ウウーッ」と唸っているように聞こえるときは、もっと機嫌が悪いとき。**不用意に近づくと、飼い主でも噛みつかれるなど、攻撃される危険性がありますので気をつけてください。

ただ、唸ったときに飼い主が遠慮してばかりいると、言うことをきかなくなってしまう可能性があります。「唸れば、飼い主は何も言わなくなる」と学習してしまうからです。

たとえば飼い主が大切にしているものを、イヌがおもちゃにしてくわえたりしたら、どうしますか？　すぐにも取り上げようとする人が多いでしょう。

でもイヌには、飼い主が大事にしているものかどうかの区別がつきません。イヌ自身が気に入れば、おもちゃにして遊ぶこともあります。おもちゃを取り

上げようとすると、お気に入りのものが取り上げられることに腹を立てて唸ることも十分に考えられます。鼻のまわりにしわを寄せ、犬歯をむき出しにして恐ろしい表情――。その剣幕に驚いて手を引っ込めたり、無理やり取り上げようとして噛みつかれたり……。

するとイヌは、「唸れば思い通りになる」と理解してしまいます。お気に入りのものを取り上げられそうになったら、唸ればいいのだと学習するのです。

このような性質が身についてしまうと厄介です。

飼い主の指示に従わなくてもいいと覚え、**好き勝手な行動をする「ワガママ犬」**になってしまうからです。自分の思い通りにならなければ、飼い主が相手でも唸って威嚇し、自分の要求を押し通そうとします。

こうさせないためには、イヌに取られて困るものは出しておかないなど、イヌが唸るような状況を最初から作らないようにするのが一番です。「立場は飼い主のほうが上だ」ということをきちんと理解させておくことが大事ですが、普段からイヌのストレスが溜まらないよう、遊ぶときにはたっぷり遊ばせるようにしましょう。

また、いたずらを叱るとき以外でも、飼い主に対して唸る場合があります。よく見られるのが、爪切り、ブラッシング、お風呂、耳掃除などのときです。この場合は、過去の体験が関係していることが多いはず。以前、爪を切ったときに誤って指を傷つけたとか、ブラッシング中に毛が絡まって痛い思いをさせてしまった、などという出来事はありませんか？

過去に痛い思いや嫌な経験をしたことを、イヌはしっかり覚えています。そして、また同じ思いを味わうのではないかと恐怖を感じて、唸ってしまうのです。その恐怖心を少しでも和らげるよう、やさしく声をかけてあげましょう。少しずつ慣らしていけば、恐怖心を取り除くことができるはずです。唸らず大人しくできたら、きちんとほめることも忘れずに。

さらに、大人の飼い主には従順で唸ったりしないのに、子どもと遊んでいるときにはよく唸るというケースはありませんか？　**イヌは家族の中でも、相手によって態度を変えているの**です。

実際のところは、飼い主の家族に序列を作って「自分よりも格上か格下か」を判断しています。イヌなりに家族の様子をじっと観察しているので、日常的にお父さんやお母さんに叱られてばかりいる子どもは、立場が悪くなりがち。**お父さんやお母さんより格下ならば、イヌは「自分よりも格下だろう」とつい考えてしまう**のです。

子どもであっても人間のほうが格上だということを、しっかり教えなければなりません。

シャワーの後に、床を転げまわる理由は？

イヌは、ネコほど水を嫌がりません。水辺に行くと、自分から水に入っていくイヌもいます。とくに「コッカースパニエル」や「レトリーバー」などは、水遊びが大好きです。

反対に、水が苦手な犬種もあります。「柴犬」や「秋田犬」など、日本犬はあまり水が好きではありません。

お風呂に入れるとき、水嫌いのイヌは苦労が多いかもしれません。**とくに顔に水がかかるのを嫌がる傾向が強い**ので、お風呂場で暴れることもあります。イヌを洗うたびに、飼い主も仲良くビショビショになってしまいます。

ですが、お風呂好きもそうでないイヌも、共通しているのがお風呂あがりの行動です。どういうわけか、**お風呂からあがった途端に、床やカーペット、壁、ソファー、毛布などにしきりに体をこすりつけます。**

「せっかく苦労して全身をきれいに洗ったのに、床を転げまわったら、すぐに汚れてしまうよ……」と嘆きたくなる瞬間です。そのため、叱って転げまわるのをやめさせようとする飼い主もいますが、これぱっかりは叱っても治りません。

なぜならイヌにとって、風呂あがりに床を転がることは、**ごく自然な行動だから**です。人間は、風呂あがりはさっぱりして気分爽快になるものですが、イヌにとっては風呂あがり、シャワー後は不快な状態なのです。

風呂あがりに洗った髪からシャンプーの香りがするだけで、人間はいい気分になりますが、イヌはそれが大の苦手です。シャンプーの香りを心地よく感じるのは、実は人間だけ。イヌは嗅覚が優れているので、シャンプーや石鹸の匂いがキツすぎて不快に感じてしまうのです。

さらに、**自分の匂いが消えてしまったことも不安でたまりません。**イヌにとって自分の匂いは、自分が自分であることを示すために欠かすことができないもの。他のイヌに会って挨拶するときや、自分の縄張りを主張するときにも、自分の匂いが重要なのです。

それなのにお風呂できれいに洗い流されると、シャンプーや石鹸の匂いがプンプンして、大切な自分の匂いが消えてしまっています。そこで床やカーペット、毛布など、普段過ごしている場所に体をこすりつけて、自分の匂いをつけようとするのです。

少しでも早く、自分の体臭を取り戻そうと転げまわっているのですから、これをいたずらと勘違いして叱らないようにしましょう。そもそも、お風呂に入れてシャンプーするのは、イヌにとってはありがたくないことなのです。そのうえ風呂あがりの行動を叱られたら、どうしたらいいかわからなくなります。

さらに注意しておきたいのは、**シャンプーや石鹸の匂いが強いほど、イヌの**

転げまわる行動は激しくなることです。

人間はほぼ毎日お風呂に入ります。だから愛犬も、毎日お風呂に入れてあげたほうがいいと考えるのも間違いのもとです。皮膚を清潔に保つことはとても大切ですが、頻繁に石鹸やシャンプーで洗う必要はありません。

軽くぬるま湯で洗う程度で、汚れは十分に落とせます。普段からブラッシングをするだけでも効果的です。ポイントは、**イヌの匂いまで洗い流さないように**心がけることです。それだけで、風呂あがりにじゅうたんや床に体をこすりつける行動は減るはずです。

飼い主の試練――イヌの風呂嫌い

　定期的なお風呂やシャンプーは、イヌの体を清潔に保つためにも必要です。しかし前述のように、イヌにとって欠かせない自分の匂いがなくなってしまうのは、強いストレスにもなります。皮脂も失われやすいので、あまり飼い主は神経質にならないようにしましょう。

　状態にもよりますが、週一回のお風呂は多すぎです。だいたい**月一〜二回を目安にする**といいようです。

　毛についたほこりや汚れは、丁寧にブラッシングするだけでも落とせます。ブラッシングすれば、毛並みが整って美しく見えるだけでなく、皮膚を適度に刺激することで血行が良くなり、新陳代謝を促す効果もあります。

　ブラッシングは毛の長い犬などは絡みやすく、痛がることがあります。一度痛い思いを経験すると、その後、ブラッシングを嫌がるようになるので、毎回

丁寧に優しく行いましょう。嫌がるときは時間を短めにして、少しずつ慣らしていきます。飼い主が声をかけながら優しく扱うことが大切です。

ブラッシングは**苦痛の時間ではなく、飼い主とスキンシップを取れる楽しい時間なのだと、イヌに覚えさせることができればベスト**でしょう。

短毛系の場合は、刺激が強くならないよう柔らかめのブラシを使って、あまり力を入れずにブラッシングするのがコツです。長毛系も、顔のまわりや耳付近、わきの下など、敏感な部位はより丁寧に――。ブラッシング時には、ノミのチェックも行いましょう。

また汚れた箇所は、濡れタオルなどでその都度ふき取ってやるのもいい方法です。**お風呂の回数を減らしても、手入れの回数は減らさないように。**

イヌは、普段の生活で水に入ることはほとんどありません。ネコほど極端に嫌がることはないですが、犬種によって水を苦手にしているイヌは多いです。そのようなイヌをお風呂に入れるときは、飼い主もそろって大騒ぎです。

暴れるイヌを押さえながら体を洗うのは、かなりの重労働。イヌはイヌでシャワーの水音を怖がったり、長い時間、拘束されるのを苦痛がったり……。

気をつけたいのは、**重度の水嫌いになってしまうと、散歩の後で脚を洗うのも嫌がる**ことがあることです。外を歩いたままの足で部屋の中を歩き回られるのは、日本家屋には適していません。

最近はマンションの入り口に、ペット用の脚洗い場を設置しているところが多くなりました。快適な生活を送るためにも、脚洗いに慣れさせることが大事です。いきなり勢いよく水を流すと水音に驚きますから、最初は水量を調整して、怖がらないよう丁寧に洗います。

シャンプーするときも、いきなり上からシャワーを浴びせるのではなく、まず足元から濡らして、顔にかからないよう背中側からシャワーをかけるようにします。シャワーの勢いやノズルの位置に気をつけて、刺激を与えないような気配りをしましょう。

お風呂が苦痛ではないと覚えさせれば、シャワーするときの飼い主の負担もずっと軽くなります。お風呂からあがると、全身をブルブルッと震わせて、体毛についた水滴を振り払います。部屋中が水滴だらけになるのが嫌なら、お風呂場にいる間にブルブルさせましょう。

風呂あがりは、すぐにタオルで体を拭いて、ドライヤーで乾かしてやります。体を押さえつけられる時間が長いほど、イヌはストレスを感じるので、作業は手早く行い、早く解放してあげられるように心がけましょう。

食事中に手出しをするのはNG！

大人しくて滅多に吠えないイヌでも、食事中にからかうと、低い声を出して唸ることがあります。あまりしつこく構うと噛みつかれたりします。

大人しいイヌが豹変したと驚いて叱りつけるのは、飼い主として失格です。人間だって、食事中に邪魔をされたらイライラするでしょう。

野生時代のイヌは、いつどこでエサにありつけるかわかりませんでした。食べられるときに、集中して手早く食べる。だからたとえ大事なご主人様でも、食事中にちょっかいを出されると腹を立てるのです。

注意したいのは、**エサを食べている姿がかわいいからなでてあげよう**というつもりでも、**イヌは「エサを取られるかもしれない！」と危機感**を募らせます。飼いイヌで食事に困らない生活をしていたとしても、エサは大事です。横から伸びてくる手は邪魔者なのです。

食事中のイヌは、とても無防備な体勢になっています。飼いイヌも野生時代の名残でエサを食べながらも、いつどこから誰かが襲ってくるかもしれないと緊張しています。だから体を触られたりするだけで、ひどく興奮して抵抗するのです。

食事をしているときは、どんなにかわいらしいしぐさをしていても、**触ったりなでたりするのは禁物。**そっと放っておきましょう。

なぜなら、食事中にしょっちゅうからかわれることで、それがストレスとなり、**エサを食べなくなってしまう可能性**もあるからです。小さい子どもがいる家庭では、食事中のイヌに構わないように気をつけてください。

ちなみに食事中のイヌと親しくする方法として、手渡しでエサを与える方法があります。これはイヌとの距離が縮まって、愛情を感じる瞬間です。しかし、なかには人の手からエサを食べるのを怖がるイヌもいます。誰かに手で叩かれた経験があるのかもしれません。

手でなでる、ごほうびを与えるなど、**人の手は怖いものではないこと**を、じっくり時間をかけて教えてやりましょう。

イヌはうれしくて飛びついてくるけれど……

名前を呼ぶと、飼い主に飛びついてくるイヌがいます。喜びを体中で表現している様子に、飼い主の顔もほころびがち。しかし**大型犬の場合、いきなり飛びかかられると危険**です。バランスをくずして倒れたりしたら一大事……。

このように飼い主に飛びつくのは、**もちろんうれしいから**です。飼い主に呼ばれるとか、飼い主が帰宅したことで喜びがあふれ、思わず飛びついてしまうのです。悪気はないので、きつく叱るのはかわいそうです。

でも、お気に入りの服を着ているときや、両手に荷物を持っているときなどに、いきなり飛びつかれるのは迷惑なのだと教えなければなりません。

飛びついてきたときに、顔や頭をなでてやめさせようとしてもあまり効果がありません。飼い主にほめられていると誤解するからです。笑いながら注意するのもいけません。人間の言葉をきちんと理解しているわけではないので、**口調が優しいと、飼い主が怒っているとは判断できません。**

逆に、頭ごなしに厳しい口調で叱るのも考えものです。悪気のない行為なのに激しく叱られると、イヌは自己嫌悪に陥って、気持ちを素直に表現できなくなってしまうからです。

なので、飛びついてくるのをやめさせるためには、いったん座らせて気持ちが落ち着くのを待ちます。それがきちんとできたら、ほめてあげましょう。

もっとも効果的なのは、視線を合わせずに無視することです。イヌは無視されるのが一番辛いこと。大好きなご主人様に構ってほしくて飛びついているのに無視されたら、どうしたらいいのか困ってしまいます。次第に飛びつくのをやめて、大人しくなるはずです。もし無視してもまだしつこくするようだったら、背中を向けるか、その場から立ち去りましょう。

落ち着いたら、優しく声をかけてほめるのを忘れずに。子イヌの頃に飛びついてくるクセをつけると、なかなか直すことができません。子イヌが飛びついてくるのはかわいらしくて、飼い主も黙認しがちです。

でも**子イヌの頃なら許されたことが、数年経ったらダメというのは、イヌが混乱するばかり……。**子イヌであっても人間に挨拶するときには、いきなり飛びつかないよう教え込んでおくことが大事です。

逆に、イヌが飛びつくのは人間よりも優位に立ちたいため、という説もあります。後ろ足で立つことで視線を高くして、自分を誇示しようとしているという解釈なわけです。

低く唸り声をあげながら家族に飛びついてきたら、わがままを通そうとしているのかもしれません。唸り声にひるんで甘やかすと、わがままがエスカレートし、飛びつけば言うことを聞いてもらえると思い込んでしまいます。こういう場合は、背中を向けてひたすら無視するのが一番です。

よそのイヌに飛びつきそうになったら？

散歩中に他のイヌと出会ったとき、そのイヌに向って飛びつくことがあります。自分が優位であるのを示すとか、性的な衝動で飛びつくことも。もちろん仲良しのイヌと出会って、遊びたい思いからという場合もあるでしょう。

いきなり他のイヌに飛びついたりすると、飼い主はびっくりして大きな声で「ダメ！」とか「いけません！」と注意しがちですが、**大声を上げると、イヌはかえって応援されていると勘違い**してしまいます。

普通、イヌとイヌの挨拶は、お互いの匂いを嗅ぐことから始まりますから、飛びつくのは興奮している証拠です。しかし飼い主が慌てるとさらに興奮するので、こういう場合は、まず飼い主が落ち着いた態度をとるのが重要です。

逆に、普通にイヌ同士が匂いを嗅ぎ合って挨拶し始めたときは、そっと見守りましょう。でも、様子はきちんと観察してください。もし険悪な雰囲気にな

りそうなら、リードを引いてやめさせます。さっと別方向に導いて歩き出せば、本格的なケンカにならずにすみます。

また、散歩の途中で知り合いの人間に飛びつくのは、大好きな人に会えて嬉しいからです。飛びつかれたほうも悪い気はしないでしょうが、汚れた足でよその人に飛びつくのは、やはりいいマナーとはいえません。

ですから顔見知りでも、急に飛びつくのは良くないことだと教え込まなければなりません。飛びついたときは、リードを引いてやめさせます。**すると不安定な体勢になるので、イヌもあまりいい気分ではなくなります。**また、飛びつかせないようにリードを足で踏んでおいて挨拶させるという方法も考えられます。

飛びつくと、あまりいいことが起こらないと理解できれば、次第に飛びつかなくなるはずです。

イヌの穴掘りは本能

　マンションで飼っているイヌにはあまり見られないことですが、庭などで飼っていると、あちこちを掘り返して穴だらけにしたりします。花壇が掘り返されてしまい、がっかりする飼い主も少なくないでしょう。

　しかし**穴掘りをするのは、野生時代から引き継がれてきた本能**だと思って、諦めるしかありません。

　だいいち、イヌには花壇とそうでない場所の区別がつきません。**飼い主が庭土を掘り返しているのに、なぜ自分が穴を掘ると叱られるのか**理解できないのです。花壇の手入れをしているご主人様の様子を見て、自分も真似して喜ぶこともあります。

　このように穴掘りをする理由は、いくつか考えられます。ひとつは、最初に挙げた野生時代の本能によるもの。野生の時代は、エサが豊富にあったわけで

はありません。運良く獲物を獲得したものの食べ切れなかったときは、いざというときに備えて、土の中にエサの食べ残しを隠していました。

この延長線上で、食べ残しのエサだけでなく、おやつや気に入っているおもちゃ、飼い主の匂いのするものなどを穴に埋めることもあります。

また、**退屈を紛らわせるために穴を掘る**という解釈もあります。何もすることがなくヒマだから穴を掘るという説です。人間は退屈したとき、いろんな娯楽を楽しむことができますが、庭にいるイヌにできることは、そんなにたくさんはありません。

そこで、柔らかそうな土を掘ってしまうのです。掘っているうちにどんどん夢中になって掘り続けてしまいます。

夏の暑い時期ならば、涼しい場所を探して穴を掘ることもあります。ひんやりと冷たい土の感触を楽しんでいるのです。

さらにネズミやモグラなど、何かの匂いを察知して**「獲物探し感覚」**で掘る場合や、土の香りや掘り返した木の根の匂いが好きで掘ることもあります。

「テリア」のように穴掘りがもともと大好きなイヌもいます。テリアは土の中に巣穴を作る動物を狩るために、改良されてきた犬種です。そのため土に触れると、掘り返してしまう習性を持っています。

穴掘りは習性なので、しつけでやめさせるのは難しいでしょう。それよりも散歩を十分にさせ、一緒に遊んであげて、**イヌを退屈させないようにするほうが得策**といえるかもしれません。

ウンチを食べるなんて異常な行動？

イヌの味覚については前にも書きましたが、驚いてしまうのが散歩中などに**他のイヌやネコのウンチに強い興味を抱いて、ときにはパクリと食べてしまう**ことではないでしょうか。

もちろん、路上にウンチを置き去りにするのは、飼い主の社会的マナー違反です。本来こうした事態が起こることがありえないはずなのですが、運悪く野

良ネコのウンチを見つけてしまう可能性が、ないわけではありません。

イヌは、ウンチに強い関心を示します。それは自分のウンチでも同じです。排泄した後、ウンチを処理しないでおくと、食べてしまうことがあるのです。「エサは十分に与えているはずなのに、よりによって自分のウンチを食べるなんて異常では？」と不安になる飼い主もいるかもしれません。

結論からいえば、**ウンチを食べたとしても異常ではありません。**むしろイヌにとってウンチは、**いい匂いのする魅力的なもの**なのです。大好きなドッグフードの匂いなど、食べ物の香りが残っている場合もあるでしょう。

そもそも、イヌには「ウンチは汚いもの」という認識がありません。ウンチを不潔だと思うのは人間世界での常識です。匂いが強く、とくに子イヌはエサとウンチの匂いの区別がつきにくい場合が多く、つい食べてしまうようです。

子イヌにとって、目の前にあるものはすべて興味の対象です。これまで食べたことのないものが目の前にあれば、思わず口にしてしまいます。しかし、**この頃にウンチを食べるクセがついてしまうと、大人になっても食べる**ようになるので注意が必要です。

ウンチを食べる気はなかったのに、ひょんなきっかけで食べてしまう、というケースもあります。たとえば退屈しているときに目の前にウンチがあって、それをつついたりして遊んでいるうちに食べてしまうというケースです。なかには運動不足や、飼い主に構ってもらえないといった精神的なストレスが溜まって、食べてしまう場合もあるようです。

ウンチを食べたときに、飼い主があまり大騒ぎすると、イヌは喜んでいると勘違いしてしまいます。よくあることなので、あまり神経質にならないことが第一。でも、**寄生虫や細菌の心配**もあるので、なるべく食べないようにしつけなければなりません。

まずウンチをしたら、飼い主がすぐに始末すること。食べる機会そのものを取り除いてしまえばいいのです。そのためには、家族の誰かが家にいる時間帯が排泄のタイミングのベストなのです。

もしも時間を決めた排泄が難しい場合は、ウンチへの興味を他へそらす工夫をしてみましょう。**ときどきエサの種類を変えると、ウンチの匂いも変わる**ので、食べるのを躊躇《ちゅうちょ》するようになります。またウンチを食べようとしたら、すぐにその場で叱ることも効果があります。

気をつけなければいけないのは、**排泄したときに叱ると、排泄行為そのものを叱られたと思ってしまいます。**排泄が悪いのではなく、排泄物を食べようとしたことが悪いのだと理解できるよう、ウンチに顔を近づけたときを逃さずに叱るのがポイントです。

ちなみにウンチの失敗を厳しく叱ると、粗相したときにまた叱られるのではないかという強迫観念を抱きます。**ウンチを隠そうとして食べるケース**もあるので気をつけましょう。

精神的なストレスが要因となっているときは、運動の時間を増やし、飼い主とのスキンシップを多くして、ストレスをなくす工夫が必要です。

「拾い食い」は野生時代の名残

散歩中のイヌは、あっちで立ち止まってクンクン、こっちでも立ち止まってクンクン。なかなか前に進まないのは、匂いでいろんな情報を収集しているからです。

道端に何かが落ちていると、それにも近づいていって匂いを嗅ぎます。匂いを嗅いでいるうちはいいのですが、それをパクリと食べてしまうこともあります。いわゆる「拾い食い」です。

食べられるものでなくても、いい匂いがすると感じたら、すぐ口にしてしまいます。飼い主が慌てて口の中から取り出そうとすると、取られまいと必死で口を食いしばったり、そのまま飲み込んだり……。

エサは十分に与えているはずなのに、散歩に行くと拾い食いをするので「うちの子は食い意地が張っていて恥ずかしい」と思いますが、イヌが目の前にあるものをすぐに口に入れてしまうのは、**野生時代から残っている本能**のようなものです。

前述のように野生時代のイヌは、いつどこでエサにありつけるかわかりませんでした。そのため食べられるものがあれば、ありったけ食べてしまうのですね。食べきれないものは、穴を掘って保存しておく知恵も持っていました。

ペットのイヌはきちんとエサがもらえるので、そのような心配はないのですが、野生時代の名残で、食べられるものを見つけると口に入れてしまうのだと考えられます。しかし道に落ちているものは、安全な食べ物とは限りません。有毒なものや腐敗しているものもあります。何でも口にしてしまうと、思わぬ病気を引き起こすことにもなりますので、拾い食いをしないようにしつけましょう。


イヌは一度、口の中に入れたものはなかなか出そうとはしませんので、事前に飼い主が阻止しなければなりません。散歩中に食べ物が落ちているのを見つけたら、できるだけ近づけないようにします。素早く通り過ぎ、リードを引いて近くを歩かないようにするのです。

もし口に入れてしまったら、すぐに取り出す必要がありますが、無理に引っ張ると、抵抗してますます放そうとしなくなります。飼い主も冷静になって、まずイヌを落ち着かせてから取りあげましょう。

「雑草」を食べるのには理由がある

イヌは散歩中に、雑草を食べることもよくあります。でも「草を食べるなんて……」と過度に嘆くことはありません。

雑草を食べるには、いくつかの理由が考えられます。第一は、**胃腸の調子がよくない**ということです。イヌにとって雑草は、いわば漢方薬のようなもの。草が胃腸の働きを整えてくれることを本能的に知っているのです。

最近はペットショップに「イヌ用の草」も販売されています。主に「エン麦」と呼ばれる稲科の植物が多いようです。その他に、「どくだみ」なども好んで食べます。

ビタミン不足のときにも、雑草を食べることがあります。イヌは肉食だと思う人が多いようですが、実際は**雑食**です。肉類のエサばかり与えていると、ビタミン不足になるので、自分で雑草を食べることが多くなります。

長毛の犬の場合、**胃の中にたまった毛玉を吐き出すため**に、雑草を食べることもあります。イヌは自分の体を舐めて毛繕いします。舌がザラザラしているので、ちょうどいい櫛《くし》の役割をするのです。

このとき抜け毛がそのまま口から胃の中に入ってしまい、それが溜まると消化不良を起こします。そんなとき、葉先のとがった草を食べることで食道や胃を刺激し、溜まった毛玉を吐き出すのです。

このようにイヌが雑草を食べるのには、何らかの原因があります。やみくもに食べているのではなく、必要があって雑草を食べているのです。とはいっても、雑草にはさまざまな汚れや雑菌、寄生虫、除草剤などの薬品がついていることもあります。体調を整えるために食べた雑草のせいで、逆に病気になってしまうこともあるので、**なるべく道端の雑草は食べさせないほうがいい**でしょう。

「ペットショップで売っている「イヌ用の草」を与えるか、エサに野菜を混ぜるなど工夫してください。

散歩中に立ち止まって動かなくなるときは？

ほとんどのイヌは散歩が大好きです。飼い主がリードを持ち出しただけで、そわそわしてうれしそうなしぐさを見せます。

ところが大好きな散歩中、ぱたりと立ち止まって動かなくなってしまうことがありませんか？「さあ、行こう！」とリードを引っ張っても、動こうとしません。なかには、その場に座り込んでしまうイヌもいます。

散歩中に立ち止まるのには、いくつか理由が考えられます。まず、**足にトゲやガラスの破片などが刺さって痛みがある**場合。また、**真夏の散歩で暑さにへばってしまった**というケースも考えられます。病気で具合が悪いのかもしれません。

体調が悪そうなときには無理をさせず、すぐに帰りましょう。様子を見て、歩くのも辛そうだったら抱いて帰ってください。体調が崩れたほどではなく、疲れが溜まって座る場合もあります。その場合はしばらくすると、また歩き始めるはずです。

ちなみに散歩ルートの途中で工事をしているなど、いつもと様子が違うために、怯えて立ち止まってしまうことがあります。騒音や見慣れない人が大勢いるなど、**普段とは雰囲気が違うので怖がっている**のです。

こんなときは無理に引っ張らず、しばらく様子を見ます。それでも怖がって動かないようなら、別の道を通りましょう。イヌの恐怖がしばらくして落ち着いてくれれば、自分から立ち上がって歩き始めます。歩く様子をみせたら、すぐにほめてあげます。

座り込んでしまったときに、「どうしたの?」「いい子だから歩いて」などと声をかけて体や頭をなで、お気に入りのおもちゃを出して気を引こうとすると、イヌはかえって「飼い主に構ってもらった」と解釈してしまいます。すると、座り込めば飼い主に構ってもらえると勘違いして、散歩中に何度も立ち止まるクセがついてしまうかもしれません。

散歩中に動かなくなるのは、基本的にイヌが主導権を発揮しているときで

す。「自分の思い通りに歩きたい」と意思表示しているわけですが、主導権はあくまで飼い主にあることをきちんと教え込むことが大事です。

とはいっても散歩中、**飼い主がつまらなそうに歩いていると、イヌも散歩が面白くない**と感じてしまいます。立ち止まったときに無理にリードを引いて歩かせると、ますます散歩に不快感を抱くだけです。

日ごろから散歩が楽しいものだと思えるよう、飼い主は気を配りましょう。毎日同じコースを歩くのではなく、ときどきルートや歩くペースを変えたり、途中で公園に寄って変化をつけるなど、いろいろ工夫してみてください。

リードを引っ張って、好きに散歩しようとするとき

散歩中に**イヌがぐいぐい先を歩いて、飼い主が引っ張られている**光景をときどきみかけます。あるいは、飼い主がイヌに引っ張ってもらっているようにも見えますが……。

飼い主に話を聞くと、「せめて散歩のときぐらい、自由に歩かせてあげたい」という答えがよく返ってきます。「家の中では思い通りの行動ができていない」「留守番が多くてさびしい思いをさせている」など、イヌは普段の生活でいろいろなことを我慢しているので、外を歩く散歩のときはイヌの好きにさせてあげよう、という考えのようです。

野生時代のイヌは群れを作って行動しており、群れの行動はすべてリーダー

が決めていました。散歩のときにリードを引っ張るのは、イヌが行く先を決めて、飼い主を従わせようとする行為といえます。飼い主よりも自分のほうが優位に立っていると感じています。

この状態を放置すると、飼い主の言うことを聞かなくなり、日常的にわがままになっていきます。散歩中に奔放な行動をみせて、トラブルを引き起こす可能性も高くなります。また意外に感じるかもしれませんが、**リーダーシップを発揮するとストレスがかかり、健康を害することも**あります。自由に行動させることが、必ずしもイヌにとって幸せとは限らないのです。

イヌには飼い主のほうがリーダーであることを、きちんと教え込まなければなりません。普段から、「待て」「伏せ」「お座り」といった命令に従うよう、十分しつけておくことが大事です。飼い主の命令に必ず従うようになっていれば、散歩中にリードを引っ張って進むようなことはなくなります。

散歩のときには飼い主が進む方向を決めて、イヌに従わせます。もしも**イヌのほうが先に行こうとしたら、その場で立ち止まりましょう。**飼い主が歩かなければ、イヌも先に進めないことを教えるのです。出かけるときも、イヌにせがまれてから家を出るのではなく、飼い主の指示で外出するようにします。歩くときも、リードは長く伸ばさないようにしましょう。飼い主のすぐ側について歩くようにさせるのです。きちんとできたときには、ほめることも大事です。**散歩は飼い主と一緒に並んで歩くことで、コミュニケーションする時間**なのです。

また、散歩中にイヌがリードを引っ張るのは、単純に目的地に早く着きたいためと解釈する説もあります。外に連れ出されることがうれしくて、ついつい先に歩いてしまうというわけです。

室内や庭、ケージ、イヌ小屋など、限られた空間で長時間過ごしているイヌにとって、外の世界は刺激的な世界です。早くいろんなところへ行ってみたい、と思うのももっともでしょう。そのため、飼い主を引っ張って行ってしまうのですね。

いずれにしても、興奮したまま好き勝手に行動するのを放置していると、散歩中に周囲の人に迷惑をかけ、他のイヌとトラブルを起こすなど、さまざまな問題に繋がりかねません。**元気が余っているイヌは、散歩の最初に少し走らせ**

るなど運動させてから、ゆっくり歩く工夫をするとよいでしょう。

噛みつくのは凶暴だから？　怯えたから？

散歩中のかわいいイヌを見かけ、愛らしい姿につい頭をなでようとしたら、ガブリと噛みつかれてショックだった！という体験談を聞きます。かわいい顔をして実は凶暴だった……などと思ったかもしれませんね。

でも噛みつくのは、凶暴な性格だからとは限りません。**むしろ怯えて噛みついた可能性が高い**でしょう。

頭や背中をなでてもらうと喜ぶと思いがちですが、必ずしもそうとは限りません。小さい頃から人間と触れ合って育ってきたイヌなら、触られてもそれほど抵抗感を見せず、気持ちよさそうな表情を浮かべることもあります。

しかし、あまり人に接触する機会がない環境で育ってきたイヌは、**体や頭を**

触られるのが苦手です。むしろ嫌がる傾向があります。このようなイヌに触ろうと不用意に手を伸ばすと、たまらずにガブリと噛んでしまうのです。

とくに触られるのが苦手な部位があります。**耳やしっぽなどは**不用意に触らないようにしましょう。耳もしっぽもつかみやすいため、**小さい子どもが無邪気につかんだりします**が、怒って危険なので気をつけてください。

また子イヌと遊んでいるときに、突然噛まれることがあります。これは本能的な動きで、動くものを見ると、つい飛びついて噛んでしまうのです。悪気はないのですが、クセになると困るので早めにやめさせましょう。

なぜなら子イヌの噛み方はそれほど強いものではなく、いわゆる「甘噛み」ですが、放置して大人のイヌになると危険です。もし**遊びの途中で噛まれたら、すぐに構うのをやめて無視します。**「噛みついたら遊んでもらえない」ことがわかってくれば、次第に噛むクセはなくなっていきます。

逆に子イヌが噛んだときに「痛い！」とはっきり言って、イヌの目をじっと見るという方法もあります。イヌは飼い主の反応を見ています。噛むと飼い主が嫌がるのだと理解させるのです。噛んだときに飼い主が何のリアクションも見せず普通に接すると、噛む行為が悪いことだと理解できません。
その他、**噛んでもいいおもちゃを先に与えておく手**もあるでしょう。

「叱られて、しょんぼり」は本当に反省している？

いたずらや問題行動を起こしたときに厳しくイヌを叱ると、その後に体を丸めてしょんぼりすることがあります。姿勢を低くして、耳も伏せて、上目づかいで飼い主のほうをじっと見ています。

叱られて、しょんぼり……。

といったしぐさです。そんな姿を見ると、「叱られたことがわかって反省している」「けなげな態度」などと飼い主は思うかもしれませんが、実はイヌが反省しているとは限りません。

たしかに叱られて大人しくなったのは事実ですが、**反省しているというより**

は、どうしたらいいのかわからず困っている状態なのです。

イヌを叱るときは、悪いことをしたその場で叱らないと効果がありません。いたずらの痕跡を後で見つけ、「こんなことをしたらダメでしょ！」と叱っても、なぜ叱られるのかイヌは理解できないのです。留守中のいたずらを、帰宅後に叱ってもあまり意味がないわけです。

しかし、飼い主の表情や態度を見れば、叱られていることはわかります。**なぜ叱られるのかわからない**けれども、飼い主が怒っていることに怯えて、どうしたらいいかわからず、体を小さくしてじっと耐えている状況です。

飼い主は叱っているうちに興奮してきて、ガミガミ言いがちですが、理由がわからないため、イヌにはストレスがかかるだけで効果はありません。かえって反動で、いたずら行為がエスカレートすることもあります。

イヌを叱るときは、悪いことをした現行犯のときがベストです。いたずらをしたら、その場で中断させて叱ります。すると「これはやってはいけないんだ」とイヌのほうも理解できるのです。

叱られてもしょんぼりすることなく、知らないふりをして、その場から逃げ出すといったイヌもいます。仰向けに寝転がってお腹を見せて、早々と降参の意思表示をし、怒っていない別の家族の陰に隠れるイヌもいるようです。**命じてもいないのに、いきなり「伏せ」「お手」などの得意なポーズを見せる**こともあります。

いずれの行動も、叱られている雰囲気に「戸惑い」を感じるときに見られるものです。自分の理解できない緊張状態が嫌で逃げ出し、別の家族のところへ行ってかばってもらおうとしているのです。また得意なポーズを見せるのは、いわばご機嫌取りです。

こんなしぐさを見せるときに、ガミガミ叱っても効果は少ないのです。

「お尻の匂いを嗅ぎ合う」のは互いの情報交換

散歩中に他のイヌに出会うと、イヌ同士は挨拶をします。といっても「こん

にちは、ワンワン」と声をかけ合うのではありません。**お互いの匂いを嗅ぎ合うことで挨拶するの**です。

とくにお尻の匂いを嗅ぎ合うので、飼い主のほうが恥ずかしくなって、無理に引き離したくなります。しかし、これはイヌにとっては恥ずかしいことでも何でもありません。単なる挨拶なのですから、しばらく見守りましょう。

とくにオスとメスが出会ったとき、お尻の匂いを嗅ぎ合い始めると、飼い主のほうがそわそわしてしまいます。しかし性的な行動とは限らないので、落ち着いて行動を見守ってください。

最初は鼻先をつき合わせます。これが挨拶のスタートです。それからお互いのお尻の匂いを嗅ぎ合います。**お互いの体を寄せ合って匂いを嗅ぎながら、ぐるぐる回ることも**あります。

嗅覚が優れているイヌは、匂いでさまざまな情報をキャッチしています。お互いに、匂いで自己紹介できるのですね。

匂いを嗅ぐならお尻でなくても、背中や首筋などどこでもいいような気がしますが、**情報がいちばん濃いのはお尻**です。お尻の匂いで、相手がメスなのかオスなのか、どんなイヌなのかといったことまでわかるそうです。

イヌの肛門のすぐ下には、一対になった「肛門腺」という器官があります。ウンチをするイヌをよく観察してみると、用をし終わったときに、おしっこのようなものを数滴垂らすのがわかります。これはおしっこでなく、肛門腺から分泌液を出しているのです。分泌液はイヌによって匂いが違っていて、貴重な情報がわかるのです。

イヌの分泌液は他の動物に比べると少量で、匂いもそれほど強くありません。なかには、**分泌液を出すのが苦手なイヌもいる**ようです。分泌液が出にくい場合は、炎症を起こしている可能性もあるので、獣医に相談してみましょう。

イヌがお尻の匂いを嗅ぐのは、互いの情報を交換し合う意味がありますが、それ以外にも匂いを嗅がせることで**「敵意がない」**のをアピールしています。ときには頭を低く下げ、寝転んで相手に匂いを嗅がせることもあります。

ご主人様の匂いがついた、靴やスリッパが大好き

出かけようとして玄関先に行くと、「お気に入りの靴が片方しかない！」という経験はありませんか？　家族のスリッパがなくなることもあります。下駄箱を探しても見つからず、仕方なく家のあちこちを探してみるのですが、やはり見つからない……。

結局、靴やスリッパにいたずらした犯人は飼いイヌだったとわかります。なぜか、靴やスリッパが大好きなイヌが多いのは事実です。靴をくわえてはどこかへ持ち出して隠してしまうのです。庭のイヌ小屋を掃除してみたら、奥からたくさんの靴が出てきた、という話もよく聞きます。

なぜ靴やスリッパが好きなのか？　そもそも**イヌは、ご主人様の匂いが大好きです。**大好きなご主人様の匂いがするものが近くにあると、落ち着くのです。とくに**靴やスリッパには「足の匂い」が強く残っている**ことが多いので、

強い関心を持っています。

また、靴やスリッパの素材も関係しているようです。皮やゴム、肉厚な素材でできているため、噛んだときの感触がイヌには気持ちよく感じられます。柔らかすぎず、かといって硬すぎず、歯ごたえがちょうどいいのでしょう。

家の中で、飼い主の匂いが染みついたものといえば、他に衣類や寝具などもありますが、そうしたものを噛んでもあまり噛みごたえはありません。ソファーなどの家具類はかじりたくても、大きすぎます。ちょうどいい大きさ、硬さのものが靴やスリッパというわけですね。

とくに子イヌは、何でも噛みつこうとします。手近にあるすべてのものに興味津々で、**ひとまずかじってみて様子を探ろう**とします。靴やスリッパは玄関や部屋に無造作に置いてあることが多いので、いたずらして噛みつくチャンスも多いわけです。かじることで、それが自分の好きなものなのか、それとも危険なものなのか、さまざまに学習していきます。

噛んでもいいもの、いけないものについて飼い主がきちんと教えていけば、お気に入りの靴をボロボロにされることもなくなります。ただしイヌには、ど

れがお気に入りの靴で、どれが噛んでもいいものなのかの区別はつきません。大切な靴は、いたずらされないよう、玄関先に放置せず、すぐに下駄箱などにしまうようにしましょう。

しかし厳しいしつけの結果、家族の靴にいたずらしなくなっても、**お客様の靴となると、また違った興味がわいてきます。**家族が来客の応対に集中している間に、こっそり玄関に行って靴の匂いをクンクン……。つい夢中になってガブリと噛みつき、どこかに持ち去ってしまう場合もあります。

お客様が帰るときになって、いたずらに気づいてきつく叱っても、これまたイヌには何のことかわかりません。「どこへ持っていったの？」と聞いても、意味がわからないので、教えてくれることはないでしょう。

お客様に失礼のないよう、**お客様の靴も下駄箱にしまう**など、気配りを忘れないようにしてください。

喜びすぎてお漏らしする「うれしょん」

室内で飼うときに、気になるのがやはり匂いです。イヌには体臭がありますが、犬種によって匂いが強いタイプもあれば、それほどでもないタイプもあります。匂いが気になる人は、体臭が少ないといわれている「トイプードル」や「チワワ」「パピヨン」といった小型の室内犬を選ぶといいでしょう。

部屋の中のウンチやおしっこの匂いは、飼い主には悩みの種ですが、困るのが不用意に起こる「お漏らし」です。お漏らしをするのは、子イヌや老犬だけ

だと思っているかもしれませんが、**体力や知力にとくに問題のない大人のイヌでもする**ことがあります。

よく知られているのが、**喜びすぎてついお漏らししてしまう**こと。いわゆる**「うれしょん」**です。外出先から飼い主が帰ってきたときなど、待ちくたびれていたイヌは大喜びで迎えてくれます。そのとき嬉しくて興奮しすぎて、うっかりお漏らししてしまう……というケースです。

うれしくてなぜお漏らしをしてしまうのか、人間にはイヌの生理が理解しにくいかもしれません。「うれしょん」は、子イヌの頃に多いといわれています。おしっこをするための筋肉が未発達なために、興奮したことでお漏らししてしまうようです。

また、怖い思いをしたときにもお漏らししてしまいます。人間でも、たとえば命に関わるような恐ろしいことに直面したときには漏らしてしまうことがありますね。イヌも同じで、散歩中に自分よりも大きくて強そうなイヌに威嚇されたときなどに、怖くてビビッてしまってお漏らしするのです。

他のイヌの前でお漏らししてしまうのは、とても屈辱的なことです。あえて恥ずかしいことをすることで、**相手に対して敵意がない**ことを示す意味もあるようです。

このようにお漏らしは、決して悪気があってしているわけではありません。ガミガミ叱っても怯えるだけです。おしっこを始末するときは、黙ってさっさとふき取りましょう。ただし、匂いを消しておくことを忘れずに。

また、興奮して「うれしょん」してしまった直後に叱るのも効果がありません。飼い主に声をかけられて、ますます興奮してしまいます。

そんな状態にあるときは、声をかけずに無視します。飛びついてきたら背を向けて、落ち着くまで待ちます。静かになってから声をかけるようにすれば、むやみに興奮するクセも次第に直るでしょう。

第3章

イヌの気持ちがわかれば、しつけにも役立つ！

そもそも、しつけはなぜ必要なの？

そもそも、なぜイヌにしつけをしなければならないのでしょうか？　本能のおもむくままに生きたほうが、動物にとっては幸せではないか……人間にあれこれ指示されて、従いながら生きていくなんて、毎日が窮屈でかわいそう……などと思う人もいるかもしれません。

けれども、**イヌは一匹で生きていくのが実は苦手な動物**です。それは、もともと群れで生活してきたからです。群れで暮らすためのルールを守って生きてきたため、**「ルールも何もなく好き勝手にしろ」**と言われても、かえって困ってしまうのです。

人間社会でも同じですが、個人個人が好き勝手なことをしていたら、社会は成り立ちません。イヌも同様に、集団で暮らすために群れには順位があり、順位が下のイヌは上のイヌに服従します。

動物園の猿山の猿にも順位があって、リーダーが集団を統率していることはよく知られています。イヌの群れにも、もちろんリーダーがいます。そして、自分たちのリーダーの指示を守って生きてきました。

ペットとなった現在でも、こうした習性は残っています。ペットのイヌにとっては、飼い主の家族が群れの仲間に当たります。当然、リーダーは飼い主ということになるのですが、きちんとしつけをせず、わがまま放題をさせていると、**イヌは自分がリーダーだと思い込んでしまいます。**

すると飼い主にあれこれ指示されても、飼い主を下のポジションだと見なすので、聞き入れる気持ちがありません。つまり、飼い主の言うことを聞かない**「わがまま犬」**になってしまうのです。

そうしたイヌは、気の向くまま好き勝手なことができるから幸せだと思うかもしれません。しかし、リーダーとして生きていくためには、リーダーの務めもきちんと果たさなければなりません。群れのメンバーから慕われて信頼されるためにも、リーダーシップを発揮しなければならないのです。

リーダーは、実は大変な責任を背負っているわけです。飼い主の家族が誰か

に襲われたりしないかいつも気を配り、知らない人が来れば、威嚇して追い出さなければなりません。散歩のときには、危険がないように率先して歩いて警戒します。このように、**夜も昼も飼い主家族を守らなければならないと、つねに気を張っている**ことになります。

にもかかわらず、エサを自分で調達することも、好き勝手に散歩に行くことも飼いイヌはできません。そもそも人間社会で暮らしていくには、不自由な前提がたくさんあるのです。

こうした生活を送っていると、イヌには余計なストレスがかかります。群れで暮らす習性があり、リーダーに服従する本能を持っているイヌは、むしろ**しつけられたほうが、人間社会では快適に暮らせる**のです。飼い主という頼りがいのあるリーダーに恵まれてこそ、幸せといえるでしょう。そのためにも、しつけは欠かせません。

また、飼い主一家が社会のルールに従って生きている以上、イヌも社会のルールを守らなければなりません。社会のルールを教えるのは、リーダーである飼い主です。そのためにはまず飼い主の言うことをきちんときいて、指示に従える状態にすることが必要です。

このように、飼い主に「すわれ」「走れ」などと命令されて、指示通りに動かされるのはかわいそうだと思うのは大きな間違いです。飼い主との間に深い信頼関係があって、頼りがいのあるリーダーがいてこそイヌは幸せなのです。

イヌは人間の言葉をどこまで理解できる？

しつけの中で、もっとも大事なのが飼い主とのコミュニケーションです。**飼い主の指示通りに行動できるかどうか**、それによってイヌの生活は大きく変わってきます。

ほとんどの飼い主が、「お座り」や「お手」を最初に覚えさせようとするでしょう。根気強く教えていくうちに、きちんとお座りできるようになると、愛情もいっそう増します。

ところが、お座りできるようになったイヌに、ある日「座りなさい」と指示を出したのに、さっぱり言うことを聞かない場合があります。

腰を叩いて座らせようとしても上手くいかず、「物覚えが悪い」などと思ったことはありませんか？

この場合、お座りしなかったのは、イヌの物覚えが悪いせいではありませ

ん。**飼い主の指示の出し方に問題があります。**

人間は言葉を使って指示を出し、行動させます。訓練されたイヌはその指示通りに行動するので、人間の言葉を理解しているように見えます。しかしイヌはその言葉の意味を、人間と同じように理解できるわけではありません。

「お座り」の声で座るように訓練されたイヌは、「お座り」と言われれば、きちんと指示を守ります。ところが「座りなさい」と命令したために、指示の内容がわからなかったのです。

人間は「お座り」も「座りなさい」

も「座れ」も同じ意味だとわかりますが、イヌはそこまで詳しく人間の言葉を理解できません。**「お座り」と「座りなさい」では、違うことを言っているように聞こえてしまう**のです。

なかには「お座り」でも「座りなさい」でも指示を守れるイヌもいますが、**命令するときには、常に同じ言葉を使うのが基本**です。もちろん「お座り」でも「座れ」でも「シット」でも、どんな言葉を使うかは飼い主の自由です。家族で話し合って、家族全員が同じ言葉を使いましょう。そうしないとイヌは混乱してしまって、命令に従えなくなってしまいます。

同じ言葉を使わないと、ほめられているかわからない

してはいけないことを教えるためには、その場で叱ることが一番です。きちんとできたときにも、その場ですぐほめましょう。

ところが、せっかくほめているのに、ちっともうれしそうでないときがあります。それればかりか、頭をなでようとすると怯えて逃げ出そうとします。ほめているのにこんな態度を取られると、「かわいくない」と思うかもしれません。でも、ひねくれているわけでも、恥ずかしがっているわけでもありません。ほめられたことが理解できず、戸惑っていただけなのです。

なぜ、ほめられたことがわからなかったのか？　理由は、**ほめた飼い主の態度が冷静で、無表情**だったということが考えられます。

イヌは言葉が理解できないかわりに、人間の表情をじっと見ています。無表情のままだとほめられているのか、それとも叱られているのか区別がつかず、困惑してしまいます。飼い主がほめたのに、うれしそうなしぐさを見せなかったのは、そのためなのです。

ほめるときに大事なのは、飼い主が笑顔になることです。そうすれば、イヌもほめられていることがわかります。また、いろんな言葉を使わず、なるべくいつも同じ言葉でほめるようにしましょう。

「よしよし」「いい子ね」など、**決まった言葉を言い続けることが大事で**

す。昨日は「グッド」と言ってほめ、今日は「よし」と声をかけても、イヌが混乱するだけなのです。家族内でも統一して、全員で同じ言葉を使うように心がけてください。

また言葉だけでなく、同時に体をなでてやりましょう。ちなみにこのとき、お腹や耳などをいきなり触らないように。刺激をとくに嫌う部分だからです。いくらほめても、そんなところを触られたら気分を害してしまいます。

体をなでるときは手のひら全体を使って、頭からしっぽにかけて、背中をゆっくりとさすります。

ごほうびをあげるのは、ほめた後に

イヌをほめるときには、ごほうびをあげることがあります。ごほうびとしてもっとも効果的なのがおやつです。人間の子どもでも同じですね。ただしイヌ

の場合、**おやつを与えるのは、ほめた後**です。言葉でほめ、体をなで、それからおやつを与えます。

先におやつを与えても喜びますが、その後にほめて体をなでても、おやつを食べるのに夢中で、触られるのを嫌がることがあるからです。

おやつを与えると、イヌは**「どうすれば、おやつがもらえるのだろう?」**と考えるようになります。そのうちに自分から進んで行動しはじめます。

何度も繰り返すことで、何をどうすればおやつがもらえるか理解し、次第におやつがなくても指示に従うように。きちんとできるようになっても、指示通りの行動ができたときには、ときどきおやつをあげましょう。

最近は、ペットショップやホームセンターなどに行くと、イヌ用のおやつが数多く販売されています。しつけのごほうびとして与えるなら、自分のイヌが大好きなものを選びましょう。イヌもやる気が増します。ただし、**どんなに好きなものでも、摂取カロリーを考える必要があります。**

一回の分量は少なくても与える回数が多くなれば、カロリーオーバーになってしまいます。肥満になってしまっては意味がないので、なるべく低カロリーのものを選びましょう。おやつをたくさん与えた日は、エサの量を減らすことも忘れずに。

健康を考えて、ペット用の野菜スティックを与えるのもいいことです。おやつはイヌの大きさに合わせて、小さくちぎってからあげます。子どもでもちぎりやすいよう、柔らかめのものを選ぶといいでしょう。

ごほうびのおやつを、わざわざ小さくちぎって与えると、量が少なくてかわいそうと思う飼い主もいるかもしれません。しかし、**「もっと食べたい！」というイヌの気持ちが大切**なのです。もっとほしいという思いから、しつけへの訓練の集中力が高まります。

おやつを使った訓練は、元気で少々お腹がすいているときがベストです。食後ではおやつへの興味が薄れます。また疲れているとき、眠そうなときは、最初から集中力がなくなっているので、しつけには向きません。

大人のイヌにもおもちゃは必要？

　しつけのごほうびは、おやつだけではありません。イヌはおもちゃで遊ぶのが大好きです。とくに、室内など狭い環境で運動不足になりがちだとストレスが溜まりやすく、おもちゃで遊ぶのはとてもいいストレス解消になります。おもちゃというと、子イヌのものと思うかもしれませんが、**成犬になってもおもちゃが大好き**です。イヌの様子を見ていて、退屈しているとき、あまり遊んであげられないときなどは、おもちゃを与えるといいでしょう。留守番させるときなどにも効果的です。

　おもちゃは、いつも部屋に転がしておけばいいというものではありません。おもちゃをイヌの自由にするのではなく、飼い主が取り出して効果的に与えるほうがいいでしょう。**あくまで、おもちゃの管理は飼い主がします。**出しっ放しにせず夜には片付けて、必要に応じて飼い主が取り出すようにします。

与えるときはいきなり渡すのではなく、まずイヌに見せます。おもちゃに関心を寄せて近づいて来たら、**すぐには与えずお座りをさせましょう。**お座りがきちんとできてから、おもちゃを与えるようにするのです。遊び終わったら、きちんと片付けておきます。ただし「イヌ用ガム」のように安全に遊べるものは、与えっぱなしにしても問題ないでしょう。

ペットショップに行くと、さまざまなおもちゃが販売されています。イヌによって好みが違いますので、一概にどれがいいとは言えませんが、音がするもの、噛みつけるものが大好きなようです。

ぬいぐるみは、イヌが噛みつきやすくて大好きです。ただし、ボタンやリボンがついているものは、遊んでいるうちに取れやすく、飲み込んでしまうこともあるので気をつけてください。ぬいぐるみの中綿がはみ出して、のどに詰まらせる危険性もあります。

ですから、**噛んでも壊れないゴム製のものがお勧め**です。そのほかボールやガラガラ、ディスク、何かの紐《ひも》などは飼い主と一緒に遊ぶときに最適です。ボールやディスクは投げてイヌに追わせ、持って来させます。紐は引っ張りっこの訓練にもなります。

イヌは引っ張りっこが大好きです。くわえたものを飼い主が引っ張ると、ふんばって抵抗します。この遊びで大事なことは、最後はかならず飼い主がおもちゃを取り上げて遊びを終わらせることです。

イヌの好き勝手にすると、自分のほうに主導権があると思い込んでしまいます。引っ張りっこ遊びで飼い主が主導権を握らないと、散歩のときにリードを引いても、イヌが自分のほうに引っ張っていくクセに繋がることがあります。引っ張り合ったおもちゃは、かならず飼い主が取り上げましょう。

ほめるよりも叱るほうがずっと難しい……

しつけでは、ほめることが大事ですが、いけないことをしたらきちんと叱りましょう。メリハリをつけることが大切です。

かわいい愛犬を叱るのは辛いことですが、どの行為がよくてどの行為が悪いのか、やってはいけないことを理解させるためにも、叱ることは重要です。

もちろん、ほめるよりも叱るほうが難しいことです。愛犬をかわいがるのは楽しいですが、**叱るのは心苦しくて、なかなかできないという飼い主**は少なくありません。しかし、**甘やかしても愛犬のためにはならない**のです。きちんとしつけないと、イヌにとってはかえって不幸になります。

ただし、むやみに叱ればいいというものではありません。上手に叱らないと、反発して逆効果になります。

まず**大事なのは、しつけ訓練中は叱らないこと。**できないから叱ると、イヌは訓練される気をなくしてしまいます。しつけ訓練中は、そのことができるようになるまで何度も何度も繰り返すことが大切です。

できたときにきちんとほめてあげれば、喜びも倍増します。訓練を続けていけば、どんなイヌでもできるようになります。できないときこそ、叱らずに根気強く教え込むことがポイントなのです。

叱るのは、噛みついたり飛びついたり、よくない行動を取ったとき。それがいけないことだと教えるために叱ります。

いくらガミガミ言っても、イヌには理解できません。人間の言葉を理解しているわけではないので、**なるべく端的な言葉を発したほうが効果的**なのです。「いけません」「だめでしょう」「こんなことをしてはいけません」ではなく、イヌの目を見て**「ダメ！」「こら！」「ノー！」**という短い言葉で、はっきり言ったほうがよく伝わります。

そして前述のように、**ほめるときや叱るときは、いつも同じ言葉を使いましょう。**叱るたびに違う言葉を使うとイヌが混乱するのです。

「こら」「ダメ」と言葉で叱る方法のほかに、音や唸り声で伝えるやり方もあります。母イヌは子イヌを叱るときに、低い唸り声を出します。この方法を利用するのです。

よくない行動をしたとき、飼い主が「ウー」と低い声を出します。これもその場ですぐ、イヌの目をじっと見つめながら声を出すのがポイントです。

また「バンッ」と大きな音を立てるなど、イヌの嫌がる音を出す叱り方も効果があるでしょう。床を「ドンッ」と踏み鳴らす、雑誌で床を叩くなど、はっきりと大きな音を立てることがポイントです。ただしマンションなど、ご近所の迷惑にならないように気をつけてください。

体罰は、恐怖心と不信感を植えつけるだけ

上手に叱らないと、イヌは反抗してますます問題行動をエスカレートさせる原因にもなります。それどころか、飼い主に攻撃することもあるでしょう。でも人に噛みつくのは、しつけがきちんとできていないから。しつけるのは飼い主の義務です。その義務を果たさなかったために、問題行動を起こしてしまうのです。

たとえば、お漏らしをしたとか、無駄吠えをしたときに、体を強く叩くなどの体罰を与えていませんか？　**直接的な体罰は飼い主に対する恐怖心を植えつけるだけ**で、しつけとしての効果はありません。

叩くとか、頭を床に押さえつけるといった叱り方をすると、飼い主のふとした言動も怖がるようになります。飼い主を慕う以前に、これではペットとの信頼関係が築けなくなってしまいます。叩かれた恐怖心が心の傷となり、**人間の手を見るとおびえ、噛みつく**といった事故も起こる可能性があります。

なかには一度でも体罰を受けると、ずっと忘れないイヌもいるのです。人間への不信感を持ってしまったら、恐怖心から一時的に言うことをきいても、人間が嫌いになって、指示されたことに従わないイヌになってしまいます。

また**実際に叩かず、叩く真似をして脅かすのも**、同じく恐怖心を植えつけるだけで**効果はありません**。暴力によるしつけは、しつけとはいえないのです。

叱るときは「イヌの名前」を呼ばない

叱るときは、なるべく名前は呼ばないようにしましょう。**「名前を呼ばれる**

といいことがない」と学習してしまうからです。名前を呼ぶのは、叱るときではなく、イヌにうれしいことがあるときだけにするのです。エサを与える前や散歩に行くとき、遊ぶときなどに名前を呼ぶのです。

するとイヌは、名前を呼ばれるとうれしいことがあると学習し、喜んで飼い主についてくるようになります。

反対に「コラ、○○ちゃん！　ダメじゃない」などと名前を呼んで叱ると、「自分の名前を呼ばれると、嫌なことがある」と覚えてしまい、いくら呼んでも寄ってこなくなるでしょう。

気をつけたいのが、お漏らしをしたとき。ついカッとなって怒鳴りがちですが、大声をあげて叱っても効果はありません。

また「叱るときはその場で」と言いましたが、**お漏らしをした現場で叱ってはいけません**。排泄したときに叱られると、排泄はよくないことだと思い込んでしまうことがあるからです。

その結果、飼い主から隠れた場所で排泄したり、ウンチが目につかないよう食べてしまったりするようになります。**せっかくトイレのしつけをしても、そ**

れが守れなくなってしまうわけです。

叱るときは「ダメ」と短い言葉ではっきり伝えるのが効果的ですが、それと同時に、イヌがちょっと嫌がることをする方法もあります。たとえば、水で薄めた酢をイヌの顔の前でスプレーする、水鉄砲で水をかけるなどです。雑誌を丸めて勢いよく床を叩いて、大きな音を出すやり方も……。

このときは、**イヌと目を合わせないのがコツ**です。「こんなことをすると、飼い主がダメと言って嫌なことが起こる」と覚えさせる訓練です。これを何度か繰り返すと「ダメ」と言われただけで、すぐに行為をやめるようになります。

ちなみに失敗や問題行動を起こした罰として、散歩に連れて行くのをやめ、エサのお預けをする人もいるようです。しかし、**このようなお仕置きでは間接的すぎて**、イヌは「なぜ散歩に連れて行ってもらえないのか？　なぜエサがもらえないのか？」わかりません。まったく効果がないのです。

イヌは無視されるのが一番こたえる

イヌは群れで暮らしてきた動物です。そのため、仲間とのコミュニケーションをもっとも大事にします。飼いイヌの場合は、飼い主や家族との関係が第一です。飼い主の家族はいわば群れの仲間。そして飼い主がリーダーです。

そんなイヌにとって、**もっとも辛いのが無視されること**です。群れのなかでは、上位のイヌは下位のイヌに特別な注意を払いません。いわば、無視されたようなもの。そういう態度で上下関係をはっきりさせていました。

イヌが飼い主に構ってほしくて問題行動を起こしたときは、**視線を合わさずそっぽを向いたまま無視する**やり方もあります。するとどうしたらいいかわからなくなって、やがて問題行動をやめるはずです。

無駄吠えをしたときに飼い主が大声で叱るのは逆効果で、応援されていると勘違いして、ますます吠え立てるケースがあるのは前述しましたが、こんなと

きこそ無視するのです。吠えるのをやめて大人しくなったら、近づいてほめてあげましょう。

このようにどんな叱り方よりも、イヌは無視されることがいちばん嫌なのです。家族の子どもたちは、ペットを無視するのが苦手かもしれませんが、イヌの問題行動を直すためには、**家族で協力することが大事**です。

また**家族のなかで、イヌがやっていいことと、悪いことを統一しておく**のも重要です。お父さんはダメって言ったのに、お母さんは何も言わないで許してくれる……。これでは何がよくて何が悪いのか、イヌにはわかりません。

家族の中で「一番下位」と教えるべき

家に迎えたら、家族のなかでどの順位に位置しているのか、イヌ自身に自覚させることが大事です。自分と同等、もしくは下位のものには従いません。もしも家族のなかで、自分よりも下とみなされてしまうと、その人の言うことはまったく聞かなくなってしまいます。

きちんとしつけるためには、**家族全員の中でイヌが一番下であると理解させることが大切**です。

ペットがかわいいから、人間と何でも一緒にしてあげたいと考えるのは、気持ちはわかりますが間違いです。イヌは主従関係のなかで生きていく動物ですから、順列をきちんと教えてあげたほうが幸せなのです。

そのためには家族全員が、イヌにとって信頼できる存在にならなければなりません。**いつもお父さん、お母さんだけがしつけるのではなく、ときには子どもたちも参加させましょう。**家族のなかの誰に指示されても、きちんと従えるようにしておくことが大事です。

また、ほしがるものは何でもすぐに与えたり、散歩のとき自由に先を歩かせたりしていると、イヌはその家族より自分のほうが優位だと勘違いします。わがままを聞き入れず、毅然とした態度で接するようにしましょう。

何事も「人間優先」を徹底するのがしつけの基本

イヌよりも人間の家族のほうが上位と教えるためには、いくつかのポイントがあります。まず人間がリーダーであることを、はっきり教え込まなければなりません。一家のお父さん、お母さんだけでなく、子どもたちも立場が上で

す。**家族全員がイヌに対して主導権を握るように**しましょう。

遊んでほしいとき、散歩に行きたいときなどに「ワンワン！」と吠えて要求することがあります。たとえ散歩の時間でも、要求にすぐに応えてはいけません。吠えれば要求が通ると、思い込んでしまうからです。

また**エサを与えるのは、人間が食事をした後がいい**でしょう。イヌを優先させてはいけません。イヌもお腹を空かせているのに、人間が先に食べるのはかわいそうと思うかもしれませんが、最初が肝心です。

食事をしているのを見て、おねだりをすることもあります。これにも応じてはいけません。「今回だけ特別……」という思いから、つい一口二口与えてしまいがちですが、**イヌには「特別」の意味がわかりません。**一度味をしめてしまうと、ずっとおねだりしてもいいと思ってしまいます。

散歩に出かけるときも、家から外に出るときは人間が先にしましょう。イヌが先に出ると、主導権が自分にあると勘違いします。何事も人間が優先です。

部屋の中で飼う場合、人間がくつろぐ場所をイヌが占有していたら、どかせましょう。「せっかくくつろいでいるのだから……」などと、甘やかしてはいけません。**居心地のいい場所は、リーダーの居場所**なのです。あくまでも人間がくつろげる場所を使用し、イヌはその他の場所というのが基本のルールです。

まず飼い主とのアイコンタクトを徹底しよう！

飼い主がリーダーであると教えるためには、まず飼い主とのコミュニケーションがきちんと取れることが必要です。そのためには「イヌの名前を呼んだときに、飼い主の顔を見てすぐ寄ってくるか」「飼い主の目を見て、言うことをきちんと聞くことができるか」が重要なのです。ちょっと自信がないという飼い主は、**イヌがちゃんと目を合わせるところからスタート**しましょう。これを**「アイコンタクト」**といいます。

飼い主とイヌのアイコンタクトは、信頼関係を築くための基本です。飼い主

に絶対的な信頼感を抱いていれば、イヌは呼ばれたとき、何があってもすぐに飼い主のほうを見るはずです。**アイコンタクトができるということは、イヌが飼い主をリーダーとして認めている証拠**です。

目と目を合わせるといっても、アイコンタクトの主役はあくまで人間です。呼んだときに飼い主のほうを見るかどうか。目下が、目上の指示に従って注目するという関係性が大事です。イヌが吠えたときに人間がイヌのほうを向いて目と目が合っても順序が逆で、飼い主とイヌとの主従関係は築けません。あくまでも飼い主がリーダーなのです。

ではどのようにすれば、正しい「アイコンタクト」ができるのでしょうか？アイコンタクトの訓練のコツは、**「名前を呼ばれたときに目を合わせると、いいことがある」とイヌに覚えさせる**ことです。そのため、最初はおやつを使って訓練します。

名前を呼ばれたイヌが、じっと飼い主の顔を見ることができたら、おやつを少し与えます。おやつは飼い主の顔の近くに持っていくと、飼い主の顔の方向に関心を寄せるようになります。目が合ったらすぐにおやつを与えます。おやつの前に、ほめることも忘れずに。

慣れてきたら、視線を合わせる時間を少しずつ延ばしていきます。最初はちらっと目が合っただけでもごほうびをあげます。そこから三秒、五秒、十秒と目を合わせる時間を長くしていきます。そうすることで、じっと見つめる訓練ができるのです。

これができるようになったら、今度はテレビやボール遊びに夢中になっているときに、同じように名前を呼んで飼い主に注目させましょう。

イヌが何をしていても、名前を呼んだら飼い主のほうを見るように訓練します。たとえエサを食べているときであっても、呼ばれたら食べるのを一時中断して注目できるかどうか、大好きなボール遊びをしているときはどうか……という具合です。

一見、意地悪をしているように見えるかもしれませんが、**どんなときでも呼ばれたら飼い主に注目するようにしつけるのが大切**です。

さらに上級編として、散歩中にも名前を呼んでみましょう。散歩中は、イヌにとって刺激的なものがたくさんあります。興味の対象があちこちにあふれているなかで、飼い主の呼び声に応えられるかどうか？

最初は気が散って上手くいかないかもしれませんが、**散歩中のアイコンタクトは、さまざまなトラブルを回避するためにも重要**です。たとえば、道端に落ちているものを拾い食いしそうになったとき、他の動物を追いかけていきそうになったとき、飼い主の声に反応して戻ってくれれば、トラブルを未然に防ぐことができます。確実にできるまで根気強く教えましょう。

ここまでできるようになったら、今度はおやつの回数を徐々に減らしていきます。おやつを与えなくてもアイコンタクトができるようになったら、もう完璧です。

「おすわり」の次は「ふせ」を覚えさせる

「おすわり」や「ふせ」は、**飼い主がイヌの行動を制止させるときに使う大切**

な命令です。飼い主をリーダーと認めさせ、指示に従わせるためには絶対に必要なしつけで、いわば服従訓練の基本なのです。

ほかにも、おもちゃを与えるときや、エサやおやつの前などで興奮しているときに「おすわり」をさせると落ち着かせることができます。

「おすわり」を教えるときに、イヌのお尻を手で押さえて無理やり座らせようとする人がいますが、これはよくありません。**力ずくで座らせても、イヌは不愉快な思いをするだけ**です。

無理やりではなく、自分から座るように仕向けなければいけません。**最初は「おすわり」と命令しても、イヌは飼い主が何を言っているのか理解できない**ので、何気なく座ったときに「おすわり」と言って、ほめるようにします。

これを何度も繰り返していくうちに、「おすわり」という言葉の意味する行動がイヌにもわかってきます。その通りに行動すれば飼い主がほめてくれる、と覚えさせるのです。すると「おすわり」という言葉に反応して、きちんと座れるようになっていきます。

訓練には、おやつを上手に使うのがポイントです。おやつを持った手をイヌの鼻先で見せ、そのまま顔の上のほうに手をずらします。するとおやつ欲しさに、手の動きにつられて頭を上げてのけぞっていきます。頭が持ち上がるとバランスを取るためにお尻がだんだん下がってくるので、腰を落として座った瞬間を逃さず「おすわり」と声をかけ、ほめてあげるのです。そして、おやつを与えます。

おやつを持った手で上手にリードして、「おすわり」の体勢を取らせることがコツです。そして、座った瞬間に「おすわり」と言いましょう。

「おすわり」は、イヌが興奮して思いがけない行動を取ったとき、ストップをかけるのに役立ちます。たとえばエサを与えるとき、喜びすぎてはしゃぎまわることがありますが、すぐに食べさせず一度「おすわり」をさせると、気持ちを落ち着かすことができます。

他にもお客さんが来たときや、よそのイヌに出会ったとき、ドッグランに行ったときなど、興奮したイヌをなだめることができるでしょう。

「おすわり」の次に、「お手」を教えようとする人も多いと思います。でも「おすわり」は飼い主の指示に従う気持ちを養うために、欠かすことができないしつけですが、「お手」にはそうした意味合いはあまりありません。

しつけというよりは、芸といってもいいかもしれません。「おすわり」ができるようになったら、**「お手」の前に「ふせ」を優先して教えてください。**「ふせ」も「おすわり」と同じで、飼い主への従属訓練のひとつです。「おすわり」よりもさらに低い姿勢になるため、**より強い服従心を必要とします。**「おすわり」よりも長時間、服従の姿勢を保つことができ、公共の場所などで「待て」をさせるときに役立ちます。

姿勢が極端に低くなるため、最初のうちは**なかなかやりたがらないイヌが多い**ですが、根気強く教えていきましょう。この場合もおやつを上手に使うのがポイントです。おやつを顔の前に差し出し、その手を徐々に下げていきます。最初に「おすわり」をさせておくと、誘導しやすいでしょう。

おやつを持った手を真っすぐ床に降ろしていくと、それに釣られてイヌの顔も床に向って下がっていくはずです。床に手がついたら、今度はその手を少しずつ飼い主のほうに引き寄せます。すると手を追って、丸まっていたイヌの背中が平らになって床に伸びていきます。そして**「ふせ」の体勢になったとき**

に、すかさず「ふせ」と言ってほめてやり、おやつを与えるのです。

「ふせ」は「おすわり」に比べると、すぐにはできないかもしれません。おやつで誘導してもできなかったときは、飼い主が脚を伸ばして、その下をイヌにくぐらせる方法もあります。

飼い主は腰を降ろして片足だけ伸ばして、床と足の間に狭い隙間をつくります。イヌが飼い主のひざ下の隙間をくぐり抜けるよう、おやつで誘導するのです。ひざ下に頭を突っ込んだら、さらに足を低くします。イヌのお腹が床について、ごく自然に「ふせ」の体勢になるように工夫してください。うまく「ふせ」の姿勢になったら、同様に「ふせ」と声をかけてほめ、ごほうびをあげます。

おやつを見せながら、首輪の前部分をやさしく引っ張って床に伏せる姿勢をとらせる方法もあります。どの方法も「ふせ」の姿勢ができたときには、しっかりほめてあげましょう。

「おいで」と「待て」を上手くしつけるコツ

名前を呼んで「おいで」と指示したら、すぐに飼い主のところへ来るようにしつけることも大事です。飼い主の指示で戻ってこないようなら、たとえドッグランに連れて行ってもリードを離して自由にできません。

声をかけたら、何をおいてもまず飼い主のもとへ帰って来させる「おいで」は、飼い主をリーダーとして認め、一番大切な存在であることを教える訓練で

す。これができなければ、飼い主のほかの指示も守ることが難しくなるでしょう。

「おいで」を教えるときは、リードを使うといいようです。伸縮性のあるリード、あるいは長めのリードを用意し、イヌが飼い主から自然と離れていくのを待ちます。さりげなく飼い主のほうから遠ざかっても構いません。

ある程度距離が開いたら、「おいで」といって呼びます。**このときリードをゆるやかにたぐり寄せます。**飼い主の足元までやってきたら、ごほうびをあげてほめましょう。「おいで」と声をかけるとき、飼い主は嬉しそうな表情で明るく声かけするようにしてください。

徐々に離れる距離を伸ばしていき、きちんと戻って来るようになったら、リードを外してチャレンジしてみましょう。ただし、野外ではリードをつけるのが飼い主のマナーです。**いくら訓練だからといって、公園などでむやみにリードを外してはいけません。**リードを外して訓練するときは、ドッグランなど、差し支えない場所を選ぶようにしてください。

最初は向かい合って「おすわり」をさせます。手に持ったおやつを見せながら、飼い主が「おいで」と言いながら少しずつ後ろに下がります。イヌは、動くものを追いかける習性があります。これを利用する方法です。寄ってきてもすぐにごほうびをあげず、まず「おすわり」をさせ、きちんとできたらほめましょう。徐々に距離を伸ばしながら訓練していきます。

順調にできるようになったら、ごほうびをあげる回数を少しずつ減らしてみます。**おやつがなくても、ほめられるだけで来るように練習する**のです。

ただし、「おいで」の訓練は続けて何度もやらないほうがいいようです。何度も何度も呼ばれるよりも、ときどき呼ばれるほうが印象的だからです。また、遊びに夢中になっているときは、飼い主の声も聞こえないことがあります。そんなときに無理やり呼び戻しても、不快感を募らせるだけです。

人間だって楽しく遊んでいるのに、強引に引き戻されたら嫌な気分になりますよね。イヌも同じなのです。無理に呼び寄せると「おいで」が嫌なことと覚えてしまいますから、気をつけましょう。

遊びに熱中しているときは、しばらく様子を観察します。どんなに熱中していても、ふっと我に返るときがあるはず。その瞬間をねらって、「おいで」と声をかけてみると効果的です。

また、普段から名前を呼ぶといいことがあると教えておけば、「おいで」と声をかける前に名前を呼ぶだけで、飼い主のほうを振り向くはずです。

気をつけたいのが**「おいで」と呼んだ後に、イヌが嫌がることをしない**という点です。たとえば獣医に連れて行くとき、「おいで」と言って呼び寄せてはいけません。多くのイヌが獣医に行くのを嫌がります。そこへ行くと、痛くて不快な思いをするのを覚えているためです。

「おいで」と呼ばれたから行ったのに、嫌な思いをさせられてしまうと、「おいで」にいい印象を持たないのです。「おいで」の声をかけたら、楽しいこと、うれしいことがあるように仕向けるのがコツです。

「おいで」と同様に、しつけで欠かせないのが「待て」です。「待て」は行動にストップをかける命令です。飛びつく、駆け出すといった問題行動を起こそうとしたとき、「待て」と言って興奮を静めます。さらに**飼い主の許可が出るまでじっと待つことで、飼い主への服従心も養います。**

「待て」を教えるときは、まず室内から始めましょう。「おすわり」をさせ、イヌと向き合います。飼い主は手に持ったおやつを見せます。おやつのほかに、好きなおもちゃでも構いません。

おやつやおもちゃに注目したら、「待て」とイヌの顔の前に反対の手のひらを突き出します。「ストップ」というジェスチャーを、イヌの目の前でやるのです。おやつやおもちゃに興味津々でも、急に出された「待て」のジェスチャーで、しばらくはじっとするはず。動かないでじっとしたら、飼い主のほうから近づいていってほめてやり、ごほうびを与えます。イヌがもぞもぞ動き出す前に素早くごほうびをあげるのがポイントです。

もしも**待ちきれずに動いてしまったら、「おすわり」からやり直し**ます。最初はすぐ目の前に立って訓練しますが、そこから徐々に距離も待つ時間も伸ばしていきます。室内でできるようになったら、気が散りやすい屋外でも訓練しましょう。イヌがじっと待っている間は、飼い主がやさしい言葉でほめることも大事です。

ハウスのなかにいるほうがイヌも安心？

イヌを飼うときには「ハウス」が必要です。かわいい愛犬を狭いハウスに押し込むのはかわいそう、という考えは間違いです。野生時代、狭い巣穴で暮らしてきたイヌは、広々とした空間ではかえって落ち着けず、常に警戒しています。逆に、**狭くて暗い場所のなかにいれば安心できる**のです。

部屋で放し飼いにすると、さまざまな問題行動へと繋がることがあります。普段から部屋のなかを自由に動き回れることで、部屋全体をなわばりと認識してしまうのです。また、そこに他人が入り込んで不審な物音がするたびに、イヌは警戒しなくてはなりません。

無駄吠えをし、部屋のあちこちにマーキングするといった行為は、**部屋全体を自分のなわばりだと思っているイヌ**に多く見られます。部屋の一部にトイレを設置して、いつでも好きな時間に排泄できるようにするのがいいと思うかも

しれませんが、その場合は排泄したらすぐに片付けるようにしてください。

飼い主がきちんと排泄物を管理していないと、トイレ・トレーニングはなかなかうまくいきません。こんなときハウスがあれば、あちこちでトイレを失敗することがなくなり、イヌも飼い主もストレスが少なくなります。

ハウスのしつけは、初めて家にやってきた日、**なるべく子イヌの頃から習慣づけてしまうと簡単**です。ハウスのなかにはバスタオルなどを敷いて、居心地のいい空間にしましょう。

サイズは大きい方が快適と思うかもしれませんが、もともと巣穴は薄暗くて狭い空間でしたから、ハウスもそれほど大きくする必要はありません。むしろ大きすぎると落ち着けず、イヌが嫌がることがあります。「ふせ」の姿勢をとっても脚が飛び出さない程度で、また立ち上がった状態で方向転換できるサイズが最適です。

子イヌの成長に合わせてハウスを買い換えるのは金銭的にも大変なので、最初から成犬の大きさに合わせて用意したほうが無難でしょう。子イヌの頃は、中に敷くバスタオルを大きくするなどして調整すれば大丈夫です。

たとえ不意のお客様が来たとしても、ハウスの中にいれば安心です。お客様に無駄に吠えることもないので飼い主も安心。留守番させるときも、車で外出するときも、**ハウスがあれば何かとスムーズ**です。

ハウスは子イヌの頃からしつけよう

子イヌが家に来たその日から、ハウスに入れる訓練を始めます。最初はおやつを上手に使って、ハウスのなかに自分から入っていくように仕向けます。ずっと手元に置いてかわいがりたいものですが、それではイヌも落ち着きませんし、しつけの基本も上手くいかなくなります。

もともと**子イヌは眠っていることが多く、ハウスに入る習慣をつけやすい**ので、この時期をできるだけ利用したいところです。エサやり、トイレ、遊ぶとき以外はハウスのなかに入れておきましょう。

子イヌは寂しがりやですから、ハウスの置き場所には気をつけてください。リビングに置いて、家族の姿がいつも見えるようにしておきます。そうすれば、ハウスのなかでも安心できます。

ハウスを覚えさせるときは、飼い主が「ハウス」と言いながらおやつを使って誘導します。ハウスの近くまで寄ってきたら、ハウスのなかにおやつを投げ入れます。ハウスに入るしぐさを見せたらすぐにほめて、さらにおやつをあげてください。そして完全に入ったら扉を閉めます。

ハウスで落ち着いて過ごせるようにするためにも、普段はなるべくハウスのなかに入れておきます。必要なときにだけ、出すようにしましょう。ハウスにいることが快適と思わせるために、ときどき扉を閉めたまま、おやつを差し入れます。このとき、**屋根の隙間などからエサを差し込む方法もあります。**なかのイヌには飼い主の姿が見えませんが、ハウスのなかにいればいいことがある、と思うきっかけになるのです。飼い主の姿が見えなくてもハウスで静かにできるようになり、外出もしやすくなるでしょう。

気をつけたいのは、子イヌはときどきハウスのなかから鳴き声をあげることがあります。「出して、出して」とお願いしているような鳴き声に、飼い主もついホロリとさせられがちですが、気持ちを強くもって無視しましょう。

そうしないと、**「鳴けばハウスから出してもらえる」**と思い、しょっちゅう鳴いたり吠えたりするようになる場合があります。

最初が肝心のトイレ・トレーニング

ハウスの訓練とともに欠かせないのが、トイレの訓練です。トイレのしつけも、家にやってきた日からスタートしたほうがスムーズにいきます。

イヌも人間と同じで、子どものときにはトイレの回数が多いもの。うんちやおしっこのコントロールも、あまり上手にできません。そんな時期にトイレ・トレーニングするのは無理では、と思うかもしれませんが、毎日の暮らしのなかでトイレのしつけは最重要です。なるべく早いうちにスタートすると、のち

の失敗も少なくなります。子イヌは排泄のコントロールが上手くできないからこそ、飼い主が早めにケアして管理することが大事なのです。

まず、ハウスとトイレは別にします。**イヌはきれい好きな動物**ですから、**狭いハウスのなかでは排泄したがらない傾向**があります。この習性を上手に利用すれば、決まった場所で排泄するようにしつけることができます。

いつもはハウスに入れておき、ハウスから出したときにトイレへ連れて行くのです。子イヌは頻繁にうんちやおしっこをします。排泄しそうな気配を見せたら、すぐにトイレの場所へ運びます。朝起きたとき、食後や水を飲んだ後、飼い主と遊んだ後などが排泄のタイミングです。床などの匂いを嗅ぎまわったり、そわそわと落ち着きのないときも排泄の前触れ。タイミングよくトイレに連れて行くことがポイントです。

いつも同じ場所で排泄させることで、そこがトイレだとイヌも理解します。トイレできちんと排泄できたときには、優しい言葉をかけてほめてやりましょう。

トイレは、サークルのなかにペットシーツを敷いて設定します。朝起きたときやエサを食べた後など、排泄しそうな気配をみせたら、抱き上げてトイレのサークルのなかに入れます。飼い主はイヌの排泄が終わるまで待ち、終わったら「いい子ね」などとほめて外に出します。

トイレの場所を覚えたら、サークルの扉をつねに開けっ放しにしましょう。自分からサークルのなかに入っていけるようにするトレーニングです。**最初のうちはリードで誘導するといい**でしょう。排泄時に、「シー」「ワンツーワンツー」と声をかけるのもいい方法です。

完全にトイレの場所を覚えたら、サークルを外します。床に敷いたペットシーツの上できちんと排泄できるようになればOKです。ただし、ペットシーツからはみ出して排泄してしまうこともあります。その場合は、もうしばらくサークルで囲っておいたほうがいいでしょう。

トイレ・トレーニングで重要なことは、失敗しても決して叱らないことです。**叱られると、排泄行為そのものがいけないと勘違い**してしまいます。排泄を我慢したり、隠れて別の場所に排泄したり、ときには排泄物が飼い主に見つからないよう、自分で食べてしまうこともあります。トイレのしつけは叱らず、ほめる方法で根気よく教えていくのがコツです。

「出かけてくるね」のひと言がイヌを不安にさせる

何かと忙しい飼い主は、外出する機会も多くなります。外出のたびにイヌを連れていくわけにもいきません。最近は一緒に過ごせる場所も増えていますが、同伴ではふさわしくないところもたくさんあります。

イヌを飼い始めたら、**留守番をさせるトレーニング**をしなければなりません。イヌは群れで暮らす習性がある動物なので、**ひとりきりにされるのが大の苦手**。リーダーである飼い主の姿が見当たらないと、不安でたまらなくなります。これを「分離不安」といいます。

分離不安は、イヌの心の病気の一種です。留守番中、ひとりきりになった寂しさに耐えきれず、さまざまな問題行動を起こします。やかましく吠え立てた

り、おしっこやウンチを漏らしてしまったり、物をかじったり、壊したり、ゴミ箱を散らかすなど、飼い主が外出先から帰ってきたら、家のなかが大変なことになっていてびっくりすることも……。

イヌによっては問題行動の矛先が、自分自身に向けられることもあります。食べたものを吐いたり、同じところをぐるぐる回り続けたり、体の一部を舐め続けて皮膚炎になってしまうといったケースです。

いずれも、**飼い主に頼る気持ちが強すぎるのが原因**です。寝るときも一緒の布団で寝ていたり、家のなかで四六時中一緒に過ごし触れ合っているといった様子があるようでしたら、飼い主への依存心が強すぎると思われます。

留守番させても不安にならないよう、**「飼い主が不在の状態」に少しずつ慣らしていくことが大事**です。

よく出かける前に、愛犬に向かって「出かけてくるからね。いい子にしていてね」などと声をかけていく飼い主がいるようです。これはよくありません。イヌにとっては心細くなるだけだからです。

以前、同じように声をかけられた後、ひとりぼっちにされて不安になった経験があると、そのことを思い出してしまいます。**イヌが寂しがらないようにと思って声をかけたのに、かえって不安を煽ってしまう**のです。

ですから飼い主は、出かけるときは何も言わずに出て行きます。イヌと目を合わせないで、さりげなく外出しましょう。

留守番させるのがかわいそうだからと、出かける前にいつも以上にたっぷり遊んであげるのもいい方法ではありません。飼い主と一緒に遊んだことが楽しければ楽しいほど、その後の留守番の時間が辛くなるからです。飼い主がいない寂しさが増して、ひとりきりに耐えられなくなって暴れてしまうケースもあります。

繰り返しになりますが、**外出するときはさりげなく出て行くのがコツ**です。また帰ってきたときも、何気ない態度を心がけましょう。

「ただいま～」「いい子だった？」などと甘い言葉をかけたり、大げさにかわいがったりすると、**ますます留守番が特別なことだと感じてしまいます**。帰宅したあとの時間も、大げさに騒がずにいつも通りに接しましょう。

留守番に慣れさせるトレーニング

子イヌにいきなり長時間留守番させるのは、現実には難しいでしょう。小さい頃に分離不安を体験してしまうと、成犬になってもストレスを感じやすい性格になってしまいます。どうしても外出しなければならないときは、子イヌが眠っている間を利用する方法もあります。

留守番させるときはハウスに入れます。部屋のなかを自由に歩き回れるほうが飽きなくていいように思うかもしれませんが、狭い空間にいたほうが安心します。

子イヌにいきなり留守番させるのではなく、事前にトレーニングしておくほうが分離不安になりにくいでしょう。トレーニングですので、**本当に外出するのではなく飼い主は出かけるふり**をします。

最初は数分後に戻ってきます。たとえ数分でも外出用の上着を着てバッグを

持つなど、いかにも出かける支度をしましょう。イヌをハウスに入れて、何も声をかけずに外に出かけ、数分経過したらさりげなく戻ってきます。帰ってきたときも、とくに声はかけません。

イヌは飼い主の様子から、どこかへ出かけたのだということがわかります。部屋のなかから飼い主の姿が見えなくなって、不安を感じ始めています。ところが、ほんの数分後に飼い主が戻ってきたので心配はすぐに消えます。飼い主が外出の支度をして出かけても、必ず戻ってくると覚え込ませるのです。

たった数分の外出ですから、**ドアの外でしばらく待って、家のなかでイヌが吠えていないか確認してください。**最初のうちは激しく吠えるかもしれません。やがて吠えなくなったら家に戻ります。

実は吠えているからといって慌てて戻ると、「吠えれば帰ってきてくれる」とイヌが理解して、吠え癖がついてしまうのです。

慣れてきたら、外出時間を少しずつ伸ばしていきます。五分出来たら十分。十分が大丈夫だったら二十分。二十分の次は三十分……。いずれの場合も面倒かもしれませんが、ちゃんと外出着に着替えて出かけましょう。

さて実際に留守番させるときですが、イヌはハウスのなかにいれば安心していられます。でも**長時間閉じ込められていると、トイレを我慢しなければなりません。**三〜四時間程度なら問題ないでしょうが、それ以上になる場合は、サークルを用意する必要があります。落ち着けるベッドと、トイレシートを入れたサークル内に子イヌを入れましょう。

ベッドは柔らかいもので、全身が伸ばせる程度の大きさがあるといいでしょう。小さな水入れと、退屈しないようなおもちゃも用意してください。

おもちゃは、噛みついても大丈夫なゴム製の専用おもちゃが適しています。ぬいぐるみも喜びますが、前述したように噛みついたとき中綿が飛び出して、間違って飲み込んでしまったら大変です。中綿でのどが詰まって窒息してしまうからです。危険性がなく、噛みついても壊れにくいものを選びましょう。

小さな穴が開いているおもちゃならば、ちぎったドッグフードを仕込んでおくこともできます。遊んでいるうちに、ポロリとおやつが出てくる仕組みです。イヌは長時間ひとりきりで寂しい思いをしていますが、遊びながらおやつが出てくれば、退屈な留守番も楽しくなってきます。

夏の外出時は、弱冷房を入れたままにしておきます。**真夏の昼間は、部屋のなかでイヌがひとり留守番している間に気温はぐんぐん上がっていきます。**とくに暑さが苦手な種類のイヌの場合は、なるべくエアコンをつけたまま外出しましょう。このとき、冷風がハウスやサークルに直接当たらないように気をつけてください。

外出から帰った後も、「ただいま」「よくがんばったね」などと声をかけず、さりげなく過ごします。飼い主の姿を見つけると、ハウスのなかでイヌは大喜びし、興奮して暴れるかもしれませんが、暴れている間は出してはいけません。飼い主がさりげなく振る舞うのは、留守番は特別なことではなく日常的な出来事なのだとイヌに悟らせるためです。

ハウスのなかで暴れなくなったら、やさしく言葉をかけながらハウスから出します。そして**すぐにトイレに連れて行きましょう。**

イヌに必要な栄養素――塩分の取りすぎに注意

人間の食生活ではタンパク質、脂肪、炭水化物、ビタミンなどをバランスよく取ることが健康の秘訣です。果たしてイヌの場合も同じでしょうか？

以前は、**人間が食べた食事の残り物をエサにする**こともありました。しかし**人間の食事は塩分が強すぎます**。塩分過多のエサを与え続けると、動脈硬化や腎不全、心疾患などを患う危険性が高くなるので与えてはいけません。

人間は健康な生活を送るうえで塩分が欠かせませんが、だからといって、一緒に暮らしているイヌも同じぐらい必要だろうと思うのは勘違いです。

とくに日本人は塩分摂取量が多い傾向があります。平均すると一日約一二～一三グラム摂っていますが、イヌが必要としている塩分は、たとえば小型犬の場合一日約一グラム程度です。つまり、ほとんど塩分のないエサで十分というわけです。

人間とイヌでは、必要としている栄養素にかなり違いがあることを知っておいてください。

塩分のほかに、ビタミンCもあまり必要としていません。イヌは体内でビタミンCを作ることができるからです。反対に欠かせないのは、タンパク質です。また、カルシウムも不足しないようにしましょう。

たまねぎ、チョコレート……与えてはいけない食べ物とは？

イヌは肉食動物と思っている人も多いようですが、**本来は雑食**です。小さい頃から、偏ったエサを与え続けていると、偏食癖が身についてしまいます。肉食だと思って肉ばかり食べさせると、他のものを食べなくなってしまうので注意してください。

しかし雑食といっても、食べさせてはいけないものも多くあります。よく知

られているものでは、**タマネギ**が挙げられるでしょう。タマネギに含まれる成分が、貧血や嘔吐、下痢などを引き起こすため与えてはいけないのです。

よくあるのが、肉好きだからとハンバーグを分けて与える失敗です。タマネギは加熱すれば大丈夫と考えている飼い主もいるようですが、それは間違いです。

その他にも、危険な食べ物はいろいろあります。甘いものを与えると喜ぶイヌが多いのですが、**チョコレートは有害です**。チョコレートの原料のカカオに含まれるテオブロミンという成分を、イヌは分解できません。食べると興奮し、嘔吐、下痢、けいれんを起こしやすく、重症になると死に至るケースもあります。

イカやタコ、エビ、貝類などは消化が悪く、嘔吐や下痢を起こしやすいので避けたほうがいい食品でしょう。ブドウやレーズンも、多量に摂取すると急性腎不全を起こす危険性があります。

意外なものでは、骨も危険です。なかでも骨付きの鶏肉は、噛み割ると口のなかや消化器に突き刺さる可能性が高いので注意しましょう。

第4章 知っておくと便利なイヌの雑学

犬種によって特徴的な性格やしぐさ

一口にイヌといっても、世界中に多くの種類が存在しています。数え方によって**およそ四〇〇という説もあれば、七〇〇〜八〇〇という説も**あるようです。ちなみに国際畜犬連盟が公認している犬種は、三四〇ほどです。

未公認のものを数えるとこの数字はもっと大きくなりますし、公認の犬種も今後さらに増えていく可能性が高く、**犬種数は変動し続けている**のです。

というのも現在、わたしたちの身近に存在しているイヌのほとんどが、人間によって改良されてきた犬種だからです。もともとはオオカミのような姿をしていた野生のイヌですが、これまで人間のさまざまな好みや要望に応えるために交配が繰り返され、多様化してきました。

同じように愛玩用のペットとして人気のあるネコと比べると、イヌはさらに多種多様です。「チワワ」のような小型犬から「レトリーバー」のような大型

犬、「ダックスフント」のような短足種、活発な「コリー」など、見た目も大きさも、性格も異なっています。寒さに強い犬種もあれば、泳ぐのが好きな犬種、攻撃的な性格の犬種、反対に大人しい犬種など、それぞれ特徴があります。

根本的な習性は共通するものが多いのですが、**一緒に暮らしていくうえで、他のイヌとは違う性格や特徴的なしぐさがある**のを知っておくのは重要です。おおまかな性質を把握しておくと、不要なトラブルも少なくてすみます。もしこれからペットとして選ぼうとしているなら、見た目だけでなく、犬種ごとの性質を知っておけば、失敗も少なくなるでしょう。

甘えん坊だけど、意外に勝気な「チワワ」

体長約二〇センチの、**世界一小さな犬種**が「チワワ」です。体の高さは約一

二センチ、体重も三キロほどしかありません。小さな体につぶらな大きな瞳が愛らしく、愛玩犬として大変人気があります。原産国のメキシコでは**「神のイヌ」**と呼ばれています。

チワワのルーツについては幾つかの説があって、真相は不明です。中国原産の小型犬がルーツだという説もありますが、古代メキシコの地名「テチチ」に棲息していた小さなイヌが家畜化されたもの、という説が有力です。

当時、テチチは宗教的な役割を担っていたのではないか、と言われています。先住民の墓から一緒に埋葬されたテチチの骨が発見されているからで、**人と一緒に葬ると悪霊から守ってくれると信じられていた**ようです。

このチワワという犬種名は、初めてアメリカにこのイヌを輸出したメキシコの都市にちなんでいるそうです。輸出されたのは十九世紀のことで、その後アメリカで改良されて、現在のような姿になりました。

チワワの特徴は大きな瞳の他に、大きな耳、丸みを帯びた頭部の形などが挙げられます。とくに、丸い頭部の形は「アップルヘッド」と呼ばれています。毛の長いロングコートタイプと、短毛のスムースコートタイプがあり、もとも

とのテチチはロングヘアーだったようです。

人と遊ぶのが大好きですが、愛らしい顔つきに似合わず勇敢で活発です。**小さい体なのに、大きなイヌにもひるまず立ち向かうこともある**ようです。

コロンブスの残した記録にチワワに関する記述が発見され、そのなかには「吠えないイヌ」という特徴が挙げられているそうです。しかし現在では、よく吠えるチワワもいますので、ペット化されて縄張り意識が強くなったためではないかと考えられています。

やや神経質なしぐさがありますが、これは小型犬によくみられる性質です。飼い主が気にするとますますエスカレートしがちなので、おおらかに育てるといいでしょう。また、チワワは他のイヌとはあまり仲良くしない傾向があります。

小さくて軽いので、ついつい飼い主が抱っこしてしまいますが、赤ちゃんと同じで、抱いてばかりいると**「抱き癖」**がついてしまいます。そうなるとわがままな性格になるので気をつけてください。

体が小さいので、他のイヌに比べると運動量は少なめで大丈夫です。その点、室内でも飼いやすいといえます。**チワワはよく震えていますが、なぜ震えるのかは実はよくわかっていません。**しかし寒さに弱いのは確かですから、寒い季節は部屋の暖房にも気を配ってください。

愛らしさが人気の「プードル」は、もとは狩猟犬だった

おしゃれなイヌというイメージが強いのが、「プードル」ではないでしょうか。ふさふさした巻き毛を、いろいろな形にカットしたスタイルがおなじみです。顔や脚、しっぽの毛を短く刈り込み、足先としっぽの先端だけ丸く刈り残した「トリミングカット」はプードルのおなじみの姿です。

最近は、体高三〇センチ程度で小型犬種の「トイプードル」が大人気です。**カールした毛並みと愛らしい姿が、「まるで動くぬいぐるみのようだ」**と若い女性の間で人気を呼んでいるようです。

愛らしい姿をしていますが、**もともとは水辺の猟を得意としていた狩猟犬**で、ヨーロッパ各地で飼育されていました。人間と一緒に水辺の狩りに出かけ、人間が撃ち落とした水鳥を拾って持ち帰る役割を果たしていました。

十六世紀頃から、フランスの上流階級で愛されるようになり、愛玩犬として注目されるようになったそうです。その結果、小型化されて「ミニチュアプードル」が誕生。十八世紀のルイ一六世の時代には、さらに小型化されたトイプードルも登場しました。

独特のトリミングスタイルは、もともとはファッションのためというより、狩猟犬として水辺で仕事をするために施されたものでした。**水に入るとき邪魔になる毛を刈り取った**わけですが、寒い時期、冷たい水から心臓や関節部分を守るために、わざと一部分だけ毛を残していたものです。

プードルの毛は硬くカールしているので、トリミングしていなくても、ときどきカットが必要です。水辺の狩猟に出かける必要もなくなったので、顔や脚の毛をカットする必要はありませんが、衛生面を考慮すると、顔やお尻など汚れやすい部位の毛をカットするのは効果的です。

毛が絡んで密集しているため、皮膚病にならないよう飼い主のケアが必要です。とくに目のまわりは、涙で汚れると茶色く涙やけになることがあります。涙が出たときには、こまめに顔をふいてあげましょう。

プードルは一般に服従性があって、遊び好きです。もとが水猟犬だったので、行動やしぐさも活発で運動も欠かせません。賢くて性格も穏やかなので、飼いやすいイヌのひとつに挙げられます。

人懐っこくて遊び好きな「ダックスフント」

ドイツ語で「ダックス」は「アナグマ」、「フント」は「犬」を意味し、**アナグマの狩猟用に改良されたイヌが「ダックスフント」**なのです。アナグマは体長五〇〜八〇センチ程度の動物で、イタチのような姿をしています。アナグマは森林や畑など、土のなかに穴を掘って棲んでいたため、かがまなくてもそのまま巣穴に潜り込めるように体高を低く改良。その結果、**胴長短足**のダックスフントが誕生しました。この特徴を活かし、巣穴に潜り込んで獲物を捕まえ、外に引きずり出すという仕事が中心だったわけです。

祖先は、ヨーロッパの山岳地域に生息していた「ジュラ・ハウンド」で、それに「シュナウザー」や「スパニエル」「アイリッシュ・セター」などを交配させて誕生したといわれています。

今ではロングヘアーの犬種を多く見かけますが、もともとは毛足の短いスム

ースタイプです。ロングヘアーは、スパニエル系の血筋を引いています。その後に、ワイヤーヘアーのダックスフンドが誕生。さらに小型化が進みました。**群れで狩猟していたため、他のイヌと仲良くするのは比較的得意**です。また狩猟犬に共通する特徴ですが、よく吠えます。ミニチュアサイズの品種でも声が大きく、興奮するとよく吠えますので、飼い主のしつけで無駄吠えをなくす必要があります。

性格やしぐさは、人懐っこくて勇敢な傾向があります。小さな子どもとも仲良くでき、飼い主にも従順です。活発で運動が大好きなので、散歩は十分にしてあげましょう。ただし足が短いために、他の犬種と一緒に走っても追いつけません。じゃれあうのも体型的に難しいことが多いでしょう。

階段の昇り降りやジャンプなどは、腰への負担が大きくなるので気をつけなければなりません。また、太るとお腹が地面にこすれることもあります。食事管理はきちんとしてください。

最近、大人気の「ミニチュアダックスフント」は、ダックスフントを小型化したもの。**もともと狩猟犬だったので強い性格の持ち主**ですが、**小型ペット化**

が進んで、神経質な一面も見られるようになってきたようです。知らない人に激しく吠えたり、ときには攻撃することもあるので気をつけましょう。

温厚な性格で忠誠心が強い「レトリーバー」

体の大きさのわりに、温厚で飼いやすいのが「レトリーバー」です。もともとは人間が狩猟した獲物を回収するために活躍した犬種で、獲物はおもに鳥類でした。名前は物を回収するという意味の「レトリーブ」にちなんでいます。たれ耳で、柔和な表情をしているのが大きな特徴です。

水鳥猟でハンターが打ち落とした水鳥をピックアップして持ち帰る役目をしていたため、水を怖がりません。**むしろ水が好きで、水遊びを喜びます。**

体は大きいですが、飼い主の指示に従って素早い行動が取れるのは、狩猟犬の特質です。体力にも優れていて、水草が生い茂るところや泥水のなかでも、

獲物を捕まえるために何時間も過ごすことができました。人懐っこいところがかわいいのですが、**性格は穏やかで賢く、忠誠心にも富んでいます。見知らぬ人や他のイヌに対してもあまり吠えないので、番犬には向かないかも**しれません。

訓練次第で、いろいろな仕事を任せることができるため、**盲導犬**や**介助犬**としても大活躍しています。

レトリーバーには、「ゴールデンレトリーバー」「ラブラドールレトリーバー」「フラットコーテッドレトリーバー」などの種類がありますが、なかでも人気が高いのが「ゴールデン」と「ラブラドール」です。

ゴールデンレトリーバーはイギリス原産で、十九世紀後半にスコットランドで改良されて誕生したといわれています。

その名前が示すとおり、**金色に輝く毛並みが美しいイヌ**ですが、正確にいえば、金色というよりも明るいクリーム色から茶褐色。光沢があるので、光って見えるようです。体重が三〇キロ前後の大型犬で、オスのほうがメスよりもやや大きく、体高は六〇センチ程度。頭頂部がやや丸みを帯びて張っています。

とても温厚な性格で、小さな子どもや他のイヌに対しても優しく接します。**飼い主の喜ぶことをするのが大好き**で、指示されたことは率先して実行します。忍耐力も強いのですが、子イヌのときにはやんちゃな一面がありますから、この時期に甘やかすと、わがままなイヌになってしまいます。**大型犬なので、好き勝手な行動を取るようになると、飼い主が押さえるのも重労働**になるので、しつけは早めにきちんとしましょう。

もう一方のラブラドールレトリーバーも原産国はイギリスですが、「ラブラドール」という名前は、カナダのラブラドル半島にちなんでいます。原産ではない地名が名前になった点については、ある事情がありました。

ラブラドールレトリーバーは、「ニューファンドランド犬」との交配によって十九世紀に誕生します。ニューファンドランド犬との区別をはっきりさせるため、ラブラドルの地名にちなんで「ラブラドール」と呼ばれるようになりました。ラブラドル半島で、漁師の仕事のサポートをしていたためです。

その後にイギリスへ渡り、鳥猟犬として活躍するようになったのです。ニューファンドランド島でもイギリスでも、水中に入って獲物を回収する仕事を続

けてきました。
ゴールデンレトリーバーの毛色はゴールド系だったのに対して、ラブラドールはイエロー、ブラック、チョコレートの三種類があります。ゴールデンレトリーバーに比べると体はやや小さめで、体高は五五センチ前後。また体重は成犬で二五〜三五キロ程度で、頭頂部はやや平らになっています。
ゴールデンと同様に、温厚な性格ですがもともと活発なので、大人しく見えても実際はやんちゃな部分を持っています。甘やかすと成犬になっても飼い主の言うことを聞かなくなる場合がありますが、賢いのでしつけやすいようです。

古くから権力者にかわいがられた「パグ」

「パグ」とは、ラテン語で**「にぎりこぶし」**という言葉に由来します。その名のとおり、まるでにぎりこぶしのような顔つきをした愛嬌《あいきょう》のあるイヌです。体高は三〇センチ弱の小型犬の一種で、たれ耳、短毛です。体色はシルバーや黒、白、アプリコットなどですが、いずれも鼻から口周辺と、耳は黒いのが特徴です。

パグのルーツは古く、紀元前四〇〇〇年頃から存在していたことがわかっています。**中国の王室で古くから愛玩犬としてかわいがられ、**やがてオランダの東インド会社との交易でヨーロッパに渡り、貴族たちの間で大人気になりました。

ウィリアム三世やエカテリーナ二世が愛していたのも、パグだったそうです。また、ナポレオンが夫人のジョセフィーヌに近づいたときに噛みついたのもパグだった、というエピソードが残っています。

イギリスでは、パグのことを「ダッチドッグ」と呼んでいた時期もありました。オランダを通じてイギリスに入って来たため、オランダがルーツと一時期信じられていたため、オランダの別名「ダッチ」の名で呼ばれていたのです。一八〇〇年代には断耳（耳を短く切られること）の習慣もありました。

小型犬ですが体格はしっかりしていて、運動が大好きです。そのため散歩は欠かせません。**ただし暑さに弱いので、夏場は涼しい時間帯を選んで散歩する**などの配慮が必要です。また目が大きく飛び出しているので、枝などで傷つけないよう注意しましょう。

性格は陽気で落ち着いていて、温厚で飼育しやすいタイプといえるでしょう。**顔のしわ部分に雑菌が溜まりやすい**ので、清潔にすることが大切。軽く絞ったタオルなどで、まめに汚れをふき取ってあげましょう。

賢くて忠誠心も高いが、警戒心も強い「柴犬」

日本土着のイヌのなかでは、もっとも小型の人気犬です。古くから山岳地帯で狩猟犬として働いていました。マタギとふたりで過ごすことが多く、そのせいか飼い主への忠誠心が非常に深く、ペットとしても愛される大きな理由のひとつになっています。ただし**飼い主へ忠誠を尽くす一方で、他の人に対してはあまり懐かない傾向も**あります。

日本には古来、各地に土着犬が分布していましたが、外来種が入ってきて交配が進み純粋種が激減したため、一九二八年に「日本犬保存会」が設立されました。一九三二年には会報『日本犬』が創刊。戸籍ならぬ犬籍簿が整備されたほどです。そして一九三四年には「日本犬標準」が制定され、大きさによって小型・中型・大型の三型に分類して、保存するようになりました。

これによると日本犬は、「柴犬」「紀州犬」「四国犬」「北海道犬」「甲斐犬」

「秋田犬」の六種です。このうち大型は「秋田犬」で、「紀州犬」「四国犬」「北海道犬」「甲斐犬」の四種は中型にあたります。「柴犬」は小型として一九三六年には天然記念物にも指定されました。日本犬として定められている六種のうち、地名がついていないのは柴犬だけです。

柴犬の「柴」は、「小さいもの」を意味する古来の言葉にちなんでいるといわれていますが、その他にも諸説があります。たとえば、柴のなかを駆け抜けて猟をしていたことに由来しているといった説や、体の色が刈り取った柴の色に似ているから、などという説もあるようです。

大きさが手頃で、飼い主への忠誠心が高く、寒さや暑さにも比較的強いことなどで人気のようです。**特徴的なくるりと巻いた尾など、凛々しい姿**も広く愛されています。

昔から人気がある一方で、実は飼育しにくい一面もあります。家族には服従するものの独立心や警戒心が強く、たとえ飼い主でも体を触られるのを嫌がる傾向があります。**しつけるときには家族全員で取り組み**、一家のなかで「一番下のポジション」であることをきちんと教え込めれば、いい関係を築くことができるでしょう。

最近は日本国内だけでなく、アメリカでも注目を集めているようです。

牧場の働き者――「ウェルシュ・コーギー」

原産地はイギリスで、ウェールズ地域で**牧畜犬**として活躍していました。今でも牧場で働くイヌがたくさんいますが、日本でも人気の犬種のひとつです。正確には「ウェルシュ・コーギー・ペンブローク」といいます。胴が長く、脚が短いのが特徴で、**耳が立って風貌はちょっとキツネに似ています。**しっぽが短く、なかには尾のないタイプも見かけますが、もともと尾がないわけではなく断尾されたものです。

これは牧畜犬として働いていたときに、牛の群れに入り込んでしっぽを踏みつけられることがないよう切っていたことから、断尾する習慣が残っているといわれています。コーギーというと「しっぽが短い、もしくは無い犬種」という認識が強いせいか、日本でもいまだに断尾するケースが少なくないようです。

断尾は動物愛護の点からも見直す傾向があって、実際に禁止されている国もあります。日本のペットショップに並ぶコーギーの多くは、しっぽが短い状態ですが、**本来はキツネのようにふさふさしたしっぽがある**のです。

コーギーにはもう一種類、「ウェルシュ・コーギー・カーディガン」というタイプがいて、カーディガンにはふさふさした立派なしっぽがあります。

コーギーはとても賢くて物覚えがよく、好奇心も旺盛で飼い主に従順です。勇敢な部分もあって、たとえ自分より大きな相手でも、ひるまずに立ち向かっていくことがあります。ただし、警戒心が強くて吠えやすい面も……。

もともと牧場で走り回っていたので運動は欠かせません。よく食べるので**太りやすい性質**があり、しかも短足なので、あまりに太るとお腹を引きずってしまいます。飼い主がきちんと食事管理をしてあげましょう。

イギリスでは古くから王室で愛されていることが知られています。昔の例では、ヘンリー二世がペットとして飼育していましたし、現在ではエリザベス女王もコーギーをかわいがっているそうです。

他のイヌとの交流も大好きな「ビーグル」

垂れた耳とがっちりした体格、三色のコンビネーションが美しい毛並みなどで、根強い人気があるのが「ビーグル」です。**世界中で大人気のキャラクター「スヌーピー」も実はビーグル**なのです。

そんなビーグルも、かつては狩猟犬として活躍していました。おもにウサギ狩りのときに、一〇頭程度で協力して獲物を追いかけていたため、**今でも団体行動が得意**です。

犬種としてのルーツは紀元前、ギリシアでウサギ狩りに協力していた「ハウンド」といわれています。とくにイギリスでは野ウサギ狩りが盛んだったため、ビーグルのようなイヌが大活躍していました。

狩猟というと、ハンターが馬で移動するような光景をイメージするかもしれませんが、ウサギ狩りのときは馬を使わず、イヌと一緒に歩いて野山を移動し

狩りをしたのです。

ビーグルは嗅覚を頼りに足跡をたどり、隠れているウサギを発見しようと追います。ウサギのほうも必死ですから、すぐにはつかまりません。急角度で方向転換したり、小川を渡って匂いを消すなど、あの手この手で逃げようとします。**野ウサギとビーグルの駆け引きが、この狩りの醍醐味**だったようです。ビーグルは群れで果敢に追跡して、野ウサギを追い込んでいきました。

女性や年配者も、小型犬と一緒ならウサギ狩り気分を楽しめるため、小型犬のビーグルは重宝されたようです。大きなイヌでは抱き上げることができませんし、勢いよく走り出したら追いつくこともできません。でも小型のビーグルなら、獣道も一緒に追跡しやすかったからです。この頃のウサギ狩りは、いわばスポーツ感覚で楽しまれていました。

ビーグルという名前がついたのは十六世紀頃で、サイズが違うイヌのうちの、小さいほうを、「ビーグル」と呼んだのがきっかけだそうです。ちなみに、ビーグルは**フランス語で「小さい」という意味**です。

ビーグルは獲物を発見して追跡するときに独特の鳴き声をあげ、他のイヌもその声に呼応して行動していました。この独特の鳴き声から**「シンギングビーグル」**と呼ばれることもあります。

狩猟犬のルーツを持つイヌのなかで、ビーグルは**陽気で愛想がいい**イヌです。ただし**戸外では興奮しやすく、動くものに敏感に反応**します。場合によっては他人にうなったり吠えかかったりするので、飼い主がきちんと管理することが大事です。

また毎日、適度な運動が必要です。同時に**他のイヌとの交流が好き**なので、なるべく孤独にしないようにしましょう。

エレガントな大耳が魅力の「パピヨン」

「パピヨン」という名前は、耳の形に由来しています。**先端に豪華な飾り毛がついて直立した大きな耳が、まるで蝶が羽を広げた姿のように見える**ことか

ら、その名がつけられました。パピヨンは、フランス語で「蝶」という意味です。

優雅な貴婦人のようなスタイルが人気ですが、体が小さい割に大胆で活発です。パピヨンには垂れ耳のタイプもあって「ファーレン」と呼ばれ、パピヨンとは別の犬種に分類する国もあります。ちなみに「ファーレン」は、フランス語で「蛾《が》」という意味です。

アメリカのように、パピヨンもファーレンも同一種と考える国もあって、このあたりの分類は微妙です。その違いは耳が立っているか垂れているかだけですが、片方だけ立っているような中途半端なものはよくないとされます。「蝶」と「蛾」という呼び名が示すように、ファーレンよりパピヨンのほうが人気が高いようです。

犬種としてのルーツは、スペインの小型の「スパニエル」の一種と考えられています。十六世紀頃には、ヨーロッパの上流階級で人気を呼びました。絹のような美しい毛並みがとくに貴婦人たちに気に入られ、フランスのルイ王朝時代には宮廷で寵愛されていました。当時の貴婦人を描いた絵画にも、ときどきパピヨンを発見することができます。**ポンパドゥール夫人やマリー・アントワネットも、パピヨンがお気に入り**だったようです。

ペット用に小型化された犬種ですが、狩猟犬だったスパニエルの血筋を引くせいか、性格は活発で好奇心旺盛です。**小型犬によく見られるような、神経質なところもあまりありません。**むしろ大胆な行動を取ることが多いようです。

ふわふわの毛並みが愛らしい「ポメラニアン」

「ポメラニアン」は、日本でもっともよく知られた小型犬のひとつです。アイスランドやラップランドで、そりを引いていた「サモエド」というイヌがルーツとされ、サモエドは大型のスピッツ族の一種です。**小型犬の代表格でもあるポメラニアンの祖先が大型犬だった**というのは、興味深い点ですね。かつては、そりを引くほど力強いイヌだったのです。

この大型スピッツは、やがてドイツに渡って牧羊犬として活躍していましたが、徐々に小型化されていきます。十九世紀以降、ヨーロッパ各地に広まるにつれて、さらに小型のタイプが愛好されるようになり、現在のような姿に変化していったとされます。**ドイツでは**ポメラニアンのことを、**今でも「小型スピッツ」と呼ぶことがある**そうです。

ポメラニアンという名前は、ドイツとポーランドにまたがるポメラニアン地方の土地名にちなんでいます。ポメラニアン地域で、小型スピッツが多く飼育されていたためです。

一八八八年、イタリアを旅したヴィクトリア女王はポメラニアンの存在を知って以降、大変寵愛しました。ヴィクトリア女王のポメラニアンは体重が九キロもあったそうですが、女王がかわいがったことで人気に拍車がかかり、ますます小型化が進められました。女王は一八九一年の第一回ドッグショーに、数頭のポメラニアンを出展したという記録が残っているほどです。

現在のポメラニアンは体重が三キロ程度ですから、さらに小型に軽量化されたことがわかります。軽量化されるときに重要視されたのは、サイズだけでな

く毛色です。大型スピッツ時代の毛色はホワイト一色だったものが、改良を加えるなかで、クリームやオレンジ、グレー、ブラックなど多彩になっていきました。**ふわふわした毛並みが愛らしくて、日本でも高い人気**を呼んでいます。また、ふさふさの尾はくるりと巻いていて背中側に乗っています。

好奇心が強くて飼い主にはとても従順ですが、神経質な面があります。これは小型犬にありがちな特徴です。大きなイヌや見知らぬ人に対して、**甲高い声でよく吠える**ことがあります。小さい体に似合わず気が強くて、大きなイヌにも果敢に向っていくので番犬に向いているようです。しかし、飼育していくうえでは無駄吠えしないしつけが欠かせません。

性格は活発でひとときもじっとしておらず、遊び好きで素直です。よく運動させる必要がありますが、無理に走らせたりするのではなく、毎日の散歩で十分です。**骨が細くて骨折しやすいので、ジャンプや飛び降りには注意**しましょう。

やんちゃで甘えん坊の「マルチーズ」

「ポメラニアン」と並んで、日本で広く愛されているのが「マルチーズ」です。高度経済成長期に起こったペットブームでは、「ヨークシャーテリア」とポメラニアン、マルチーズが**「愛玩犬の御三家」**と呼ばれました。真っ白でふわふわとした毛並みが特徴で、体高二〇～二五センチ、体重二～三キロの小型

犬です。

紀元前に、フェニキア人によって地中海に浮かぶマルタ島へと持ち込まれ、**マルタ島の名前が、マルチーズという名称の元**となりました。紀元前三〇〇年頃の記録に、すでにマルチーズに関する話が残っており、ギリシアの芸術作品にもマルチーズのようなイヌの姿が描かれています。当時から愛玩犬とされていたようで、初期のマルチーズには、白以外の毛色の品種もあったようです。

やがてシシリア島を経てヨーロッパに広まり、人気が高まっていきました。十五世紀にはフランスで、十九世紀にはイギリスでブームになったといわれています。とくに上流階級の婦人たちに愛され、**「抱き犬」**としてかわいがられました。ヴィクトリア女王もマルチーズが大のお気に入りで、わざわざマルタ島から取り寄せたそうです。

古くから愛玩犬としてかわいがられてきたため、甘えん坊で遊び好きです。その一方で、野生的な面もあって活発に走り回り、大きなイヌにもひるまず向っていくことがあります。飼い主にはよく懐きますが、見知らぬ人への警戒心が強く吠えることも。子イヌの頃には、いろいろなものに怯える傾向があるので、過度に怖がらないように慣れさせていくのが大事です。

マルチーズは、あまり運動が必要ではありません。**散歩も短くて大丈夫なので、室内での飼育に適しています。**繊細な白い毛は長く伸ばすこともありますが、手入れが大変。そのため短く刈り込んでいるケースも多いようです。

毛並みの美しさが抜群の「ヨークシャーテリア」

「ヨークシャーテリア」は一八〇〇年代の初めに、テリア系の小型犬と「マルチーズ」を交配して誕生した犬種です。イギリスのヨークシャー地方の炭鉱や織物工場を荒らしまわる、ネズミを駆除するために改良されてきました。現在では体重三キロ程度の小型犬ですが、改良の段階ではもっと大きなイヌでした。

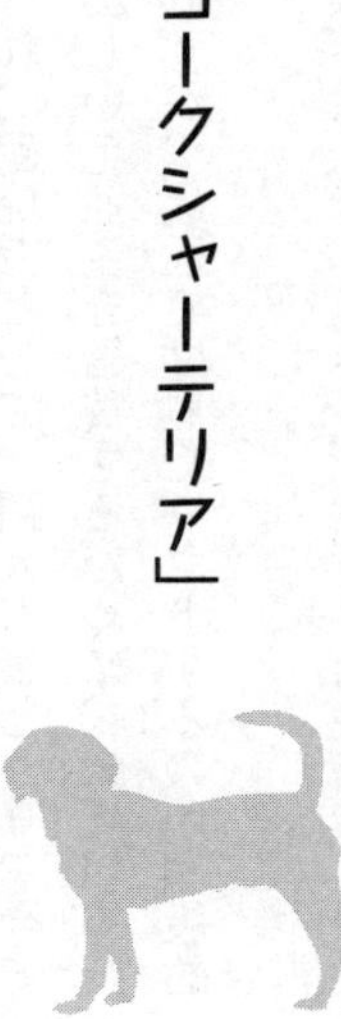

品種改良時には、マルチーズと「マンチェスターテリア」「スカイテリア」

「ウォーターサイドテリア」などが交配されてきたといわれています。

一八六二年には**「ブロークンヘアード・スコッチ・オア・ヨークシャーテリア」**と名づけられましたが、**あまりに長すぎる**ので単に「ヨークシャーテリア」と呼ばれ、一八八六年にはイギリスで公認されています。

織物職人によって改良されたためか、**毛並みの美しさは抜群**です。**「絹糸状の長い毛は織機で作られた」**という噂が飛び交ったこともあるようです。美しい毛並みは**「動く宝石」**とあがめられ、愛玩犬として一躍大人気となり、今では世界中で広く愛されています。美しい毛並みを鑑賞するために、床に届くほど長く伸ばすケースもあったようですが、最近では短くカットするのが一般的です。

小さな体からは想像もつかないほど活発で、エネルギッシュな性格です。また強情な一面もあります。

同じ犬種でも、イヌの個性はさまざま

イヌは、犬種としてのルーツで性質に大きな違いがあります。たとえば、狩猟犬として改良されてきた「ダックスフント」や「テリア」は、勇敢で穴掘りなどが大好きな特徴があります。「チワワ」や「ポメラニアン」のように愛玩用に改良されてきたイヌは、大人しくて飼い主に甘え上手です。

ただし犬種ごとに性質が異なるといっても、それはおおまかな傾向と考えてください。「うちのイヌは、この本に書いてあるのとは全然違う」「攻撃的な性格といわれたけど、実際はとても大人しい」などということもあります。**同じ犬種でも**育ってきた環境や飼い主のしつけなどによって、**イヌの個性は大きく違ってくる**のです。

これまで犬種ごとの性質や行動の違いを大まかに見てきましたが、そのパターンに当てはまらないからといって、無理にしつけ直す必要はありません。**イ**

ヌの個性を見極めて、性格に合ったしつけをすることが大切です。

「イヌかき」が苦手なイヌもいる？

ほとんどの動物は水中で泳ぐことができ、それはイヌも同様ですが、すべてのイヌが泳ぎが得意というわけではありません。

水辺で働いていたルーツを持つ「レトリーバー」なども、本来は水が大好きなはずですが、**ペットとして暮らしてきた歴史が長い**ので、水に濡れるのが好きではない場合もあります。他の犬種も同様で、**「いきなり水のなかに入って泳ぎなさい」といわれて困惑する**ケースも少なくないようです。

それでも飼い主の真似をするうちに水に慣れて、自然と泳ぐようになっていき、当然のことながら「犬かき」で泳ぎます。身体的構造からいっても、平泳ぎやクロールなどはできません。

「フレンチブルドック」や「ダックスフント」は、水中で体のバランスを取るのが難しく、泳ぎはあまり得意ではないようです。

イヌには九種類の血液型がある？

人間に血液型があるように、イヌにも血液型はあります。ただし人間のような「A型」「B型」「O型」「AB型」というのとは違い、**イヌの血液型は全部で九種類ある**といわれています。

人間のように、イヌの血液型を調べることはめったにありません。もちろん血液型による性格判断などもありません。これからの研究次第かもしれませんが、九種類もあるとかなり複雑なものになりそうです。

けがをして輸血が必要になったときなどは、血液型を検査することがありますが、それも人間のようなものとは違います。そもそも輸血が必要になるのは緊急時です。詳しい血液型がわかったところで、適合する血液を見つけ出すためには時間がかかってしまいます。

そこで、人間のO型のように、どの血液型にも適合する血液を輸血するケースが多いようです。

人間と同じようにイヌも夢を見る？

イヌの睡眠は十二～十五時間とされ、人間に比べて長い時間、眠っていることがわかります。確かに、大人しくしているときはたいてい眠っているようです。**飼い主が留守にしている間、ずっと寝ているイヌも少なくない**でしょう。

睡眠にはレム睡眠とノンレム睡眠がありますが、それはイヌも同様です。イヌの睡眠の約八割がノンレム睡眠とされています。脳は休んでいますが、物音などがすれば、すぐに目覚めるように体は起きている状態です。

多少の物音にも気づかずぐっすり眠っている状態がレム睡眠で、イヌの場合は二割がレム睡眠ということになります。レム睡眠時は、体は完全に休息しているのですが、脳は活発に動いていて**イヌも夢を見る**といわれています。

飼いイヌがどんな夢を見ているのか、興味津々ですね。残念なことにイヌは言葉を話せないので、飼い主が聞いても教えてくれません。人間の質問内容をはっきり理解することも難しいので、今のところ、イヌの夢の内容を知ることはできないようです。

雑種犬のほうがタフって本当？

「純粋種よりも雑種犬のほうが丈夫」という話を聞いたことがありませんか？
雑種犬のほうが何かと丈夫で強い、という考え方は昔からありました。しかしこの説には根拠がありません。純粋種も雑種も違いはないのです。

雑種犬がどのように成長していくかは、ケースバイケースです。**現在のペットのほとんどは、いろいろな種をかけ合わせて作られてきました。**これからもそうした傾向は続いていくはずです。

イヌの老化はいつごろから始まる？

イヌは人間よりもかなり早く年をとり、だいたい七歳になる頃には老化が始まるといわれています。

老化の兆候として体重の増加があります。人間も年齢を重ねると代謝が悪くなって、体つきが丸くなっていく傾向がありますが、イヌも同じです。いつもと同じ分量のエサを与えて、同じように運動させているのに贅肉《ぜいにく》がついてきたら老化の兆しが出てきたと考えてください。

とはいっても、いきなりエサの量を減らすと、拾い食いをするなど問題行動に走るかもしれません。**低カロリーのエサや、老犬用のドッグフードに変える**など工夫してみましょう。

十歳を過ぎると、老化による関節炎などの症状が出てくるようになります。獣医と相談して、できるだけケアしてあげることが大切です。

本書は、書き下ろし作品です。

著者紹介
わんこ友の会（わんこともの かい）
人と生活するよりイヌと暮らすほうが好きという人々。食べぐせ、寝ぐせ、遊びぐせから、つき合いぐせなどイヌたちの心のすみずみまで、日夜探求している。

PHP文庫　しぐさでわかる「イヌの気持ち」

2010年4月16日　第1版第1刷
2013年3月6日　第1版第15刷

著　者　わんこ友の会
発行者　小林成彦
発行所　株式会社PHP研究所
東京本部　〒102-8331　千代田区一番町21
文庫出版部　☎03-3239-6259(編集)
普及一部　☎03-3239-6233(販売)
京都本部　〒601-8411　京都市南区西九条北ノ内町11
PHP INTERFACE　http://www.php.co.jp/
組　版　朝日メディアインターナショナル株式会社
印刷所
製本所　凸版印刷株式会社

ISBN978-4-569-67418-6

世界の犬「101」がよくわかる本

吉田悦子 著

チワワ・柴犬・シェパード……。世界中で愛されている犬101種について、特徴からエピソード・飼い方までを解説したドッグ・ガイド。

定価六八〇円
（本体六四八円）
税五%

ツンデレ猫日記

戸田聖子 著

子犬をパンチして攻撃、赤ちゃんと対面させても存在を無視。ツンデレ猫ノア&怪力猫クロヒメのきままな日常を描く爆笑コミックエッセイ。

定価四八〇円
（本体四五七円）
税五％

あなたの「ふつう」はだいじょうぶ？

女のマナー常識555

幸運社 編

NGな話し方や気のきいた行動など、「大人の女性として知っておきたいこと」を厳選して紹介。オフィスや家庭で大活躍のマナーブック。

定価六八〇円
（本体六四八円）
税五％

新ネタ満載 雑学新聞

読売新聞大阪本社 著

カダフィ大佐は、なぜ大佐？ 消しゴムは何年使える？――国際面・経済面から社会面まで、素朴な疑問にすべて答える雑学本の決定版！

定価六八〇円
（本体六四八円）
税五％